SAM WALTON

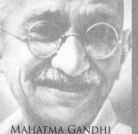

MAHATMA GANDHI

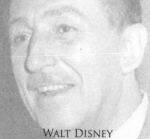

WALT DISNEY

8 ATRIBUTOS De los GRANDES TRIUNFADORES

CAMERON C. TAYLOR

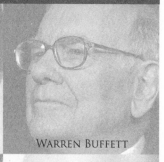

ORVILLE WRIGHT

ABRAHAM LINCOLN

WARREN BUFFETT

BENJAMIN FRANKLIN

WINSTON CHURCHILL

GEORGE WASHINGTON

Copyright © 2015 Cameron C. Taylor

Otros títulos publicados por Cameron C. Taylor

8 Attributes of Great Achievers, Volume II

Preserve, Protect, & Defend

Does Your Bag Have Holes? 24 Truths That Lead to Financial and Spiritual Freedom

Twelve Paradoxes of the Gospel

Sitio web del autor

www.CameronCTaylor.com

ÍNDICE

INTRODUCCIÓN

He estudiado la vida de cientos de grandes triunfadores y he encontrado en cada uno de ellos, pasados y actuales, ciertos atributos que han sido fundamentales para sus logros. A veces vemos a las personas que han logrado un gran éxito y creemos que de alguna manera son individuos singularmente dotados o talentosos, a los que difícilmente podríamos emular. Lo cierto es que los grandes triunfadores no simplemente nacen, son producto de un desarrollo. Todo gran triunfador trabaja arduamente para desarrollar atributos en toda su vida. Por ejemplo, Washington, de joven, redactó de su puño y letra un código de vida moral que respetó y se apegó a su cumplimiento a lo largo de su vida.[1]

Benjamin Franklin escribió en su autobiografía el deseo de poseer trece virtudes. A continuación describe el proceso de revisar y trabajar para desarrollar cada una de estas virtudes. Él escribió: «Siendo mi intención adquirir el hábito de todas estas virtudes, juzgué que sería necesario no distraer mi atención intentándolas todas a la vez, sino enfocarme de una en una y cuando dominara esa, entonces seguir con otra, y así sucesivamente, hasta conseguir las trece... Me hice un librito en el que dediqué una página a cada una de estas virtudes y marqué, con tinta roja, siete columnas en cada página, de tal suerte que cada día de la semana tuviera su correspondiente columna y en la parte superior de cada columna asigné una letra a cada día de la semana. Las columnas las crucé con líneas horizontales rojas y al comienzo de cada espacio horizontal escribí la primera letra de una de las virtudes. A lo largo de este espacio horizontal lo dediqué a una virtud y en la columna correspondiente a cada día fui marcando con un pequeño punto negro cada una de las faltas que, tras el diario examen de conciencia, asumiera que había cometido contra dicha virtud en esa fecha. Me propuse dedicar especialmente cada semana a una virtud diferente. Así, en mi primera semana puse especial cuidado en no cometer falta alguna contra la templanza, sin prestar especial atención a las demás, marcando por la noche, eso sí, las faltas en las que pudiera haber incurrido ese día. Si, por ejemplo, al final de esa primera semana lograba que en la primera línea, dedicada a la letra "T", no apareciera ningún punto negro, juzgaba que el hábito de aquella virtud se había afianzado y su vicio correspondiente debilitado, por lo que a la semana siguiente podía aventurarme a dedicar mi atención a la siguiente virtud, esforzándome porque en esa semana en los espacios de arriba no hubiera ningún punto negro. Siguiendo este procedimiento y repasando la lista de virtudes, terminaba el ciclo completo en trece semanas, repitiendo la acción cuatro veces al año. Y del mismo modo que cuando queremos limpiar de mala hierba un jardín, no intentando arrancarla toda a la vez porque la tarea sería superior a nuestras fuerzas, sino limpiar el jardín por partes hasta terminar con todo, consideré que tendría el placer y el estímulo (por lo menos esa era mi esperanza) de observar cómo los puntos negros iban desapareciendo de mis recuadros hasta que al final de mis ejercicios morales las columnas se verían limpias de faltas después de trece semanas de examen diario de conciencia»[2].

Este libro le ayudará a desarrollar los atributos de carácter que conducen a un mayor logro. Investigando lo que hace sobresalir a una empresa, Jim Collins, autor de *Empresas que sobresalen*, descubrió que «encontrar las personas correctas tiene más que ver con sus atributos de carácter que con su educación, habilidades prácticas, conocimientos especializados o experiencia laboral»[3].

Trabajar para perfeccionar los 8 atributos de carácter descritos en este libro, le ayudará a lograr un rendimiento superior y sostenido de su más valioso recurso —usted mismo—.

ATRIBUTO 1:
LA RESPONSABILIDAD

«El precio de la grandeza es la responsabilidad».

-WINSTON CHURCHILL

Capítulo 1
Elección y consecuencia

«Toda elección conlleva una consecuencia. Para bien o para mal, cada elección lleva implícita la consecuencia inevitable de su acción. No hay excepciones. Si usted reconoce que una mala elección lleva la semilla de su propio castigo, ¿por qué no aceptar el hecho de que una buena elección reditúa resultados deseables?»

-Gary Ryan Blair

Cada vez que hacemos una elección, estamos obedeciendo o desobedeciendo una ley del éxito. Cuando incurrimos en la obediencia, nos movemos a una condición de felicidad, paz, poder, libertad y prosperidad. Pero cuando desobedecemos las leyes del éxito, la elección nos conduce a un estado de tristeza, debilidad, servidumbre y miseria. En todo momento orientamos nuestro rumbo hacia alguna de estas dos condiciones. Este don de poder elegir es como el fuego: si se utiliza correctamente, puede crear calor y vida; pero si se usa inapropiadamente, puede quemar o incluso matar.

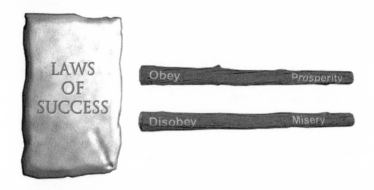

Cada elección va acompañada de una consecuencia. Ninguna postura de razonamiento o de queja puede alterar en absoluto la consecuencia. Al levantar un palo por uno de sus extremos (elección), el otro extremo también se levanta (consecuencia de esa elección).

La metáfora de la granja

En una granja, usted cosecha lo que siembra. Si siembra maíz, cosecha maíz. No puede sembrar maíz y cosechar sandías. Del mismo modo, cosechamos lo que sembramos en la vida. Nuestras elecciones son las semillas y las consecuencias es la cosecha. A veces, intentamos predecir las consecuencias de nuestras decisiones o malinterpretamos lo que creemos será la consecuencia de una elección. Quisiéramos comer 10,000 calorías al día, pero sin aumentar de peso. Quisiéramos fumar cigarrillos, pero sin contraer cáncer de pulmón. Quisiéramos desobedecer las leyes del éxito, pero al mismo tiempo gozar de libertad y prosperidad. Esto es tan absurdo como querer sembrar maíz para cosechar sandía. Eso mismo sucede con la gente que desea abundancia financiera, pero sin esforzarse en absoluto por conseguir la riqueza. Esto es tan tonto como el agricultor que sin sembrar nada aguarda esperando una gran cosecha.

Existe el deseo humano de ser milagrosamente libre de las consecuencias de una acción. Tendemos a buscar consecuencias provechosas para nosotros con poco o ningún esfuerzo de nuestra parte. Un ejemplo de esto es el caso de las personas morosas que después de contraer fuertes adeudos procuran por todos los medios liberarse de los compromisos y de la obligación de reembolsar lo que deben declarándose en quiebra, o también lo podemos ver en aquellas personas que tratan de subsanar un problema de salud a base de pastillas y tratamientos en lugar de modificar el comportamiento que causa los síntomas. Debemos intentar cambiar nuestras acciones porque no podemos elegir las consecuencias. Debemos ser responsables y tener la voluntad y capacidad de reconocer y aceptar las consecuencias de nuestras acciones.

La paradoja de la elección

Todos hemos escuchado a alguien definir la libertad mediante las siguientes expresiones: «Nadie me dice lo que tengo que hacer. Estoy a cargo de mi propia vida. Soy libre sin ataduras a ningún tipo de ley». Las leyes del éxito no son restrictivas, más bien son un mapa de orientación a la alegría. La violación de estas leyes no se traduce en libertad, sino en esclavitud, dolor y miseria. Los que conocen y viven las leyes del éxito gozan de libertad, alegría y prosperidad. Por lo tanto, obedecer las leyes del éxito implica gozar de libertad.

El uso correcto de nuestro poder de elegir multiplica nuestras capacidades de elección. Y esta capacidad disminuye cuando este poder lo usamos inapropiadamente. Cada vez que hacemos una elección obtenemos más libertad, pero al no hacerlo crece nuestra dependencia y esclavitud a las decisiones de otros.

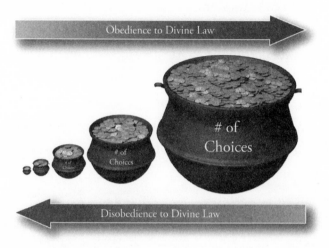

La metáfora del banco

«Si un trabajador bancario decidiera robarle a la institución donde trabaja, entonces él o ella puede ser encarcelado porque así lo determina la ley. Esa persona no solamente pierde su capacidad de seguir trabajando, sino que también queda restringida a realizar otras actividades lícitas en el futuro. De tal modo que cualquier acción más simple que sea lícita, como ir a un parque, el prisionero ya no está en posibilidad de hacerlo. Lo contrario ocurre cuando esa misma persona opta por el camino correcto y trabaja arduamente en el banco para ganar dinero dentro de los límites de la ley, entonces puede continuar con esa actividad libremente aprovechando las oportunidades que se le brindan. Adicionalmente su esfuerzo puede ser generosamente recompensado con fondos para actividades adicionales que la persona no podía darse el lujo de disfrutar antes de elegir el camino correcto»[4].

Conferencia en la prisión

Mientras impartía una plática en una prisión a un grupo de internos,[5] pedí que un voluntario del grupo de internos describiera el sueño de vida que desearía tener. Después de una prolongada pausa y algo de insistencia, un voluntario comenzó a hablar. Al escucharlo quedé muy sorprendido por la impresionante descripción de su deseo por tener una carrera exitosa, una hermosa casa y una familia feliz.

Enseguida le pregunté: «¿Por qué estás en prisión?»

El interno me contestó: «Por drogas».

Luego le pregunté si las drogas habían sido la causa de no haber hecho realidad su vida de ensueño que acababa de describir. Nunca olvidaré su respuesta: «Puedo tener ambas cosas».

Le respondí diciéndole: «¿Qué pasaría si tocaras la lumbre de una estufa prendida con tus manos desnudas?»

Él me respondió: «Me quemaría».

Y le pregunté: «¿Qué pasaría si lo que no quieres es justamente quemarte? ¿Elegirías acercarte a la lumbre u optarías por no quemarte?». Él, por supuesto, eligió la segunda opción.

Luego le dije que de nosotros depende elegir si queremos o no tocar la lumbre de una estufa encendida, pero no depende de nosotros quemarnos o no. Nosotros elegimos nuestras acciones, pero no podemos elegir las consecuencias derivadas de nuestras decisiones.

La quemadura es una consecuencia natural del acto de entrar en contacto con la lumbre de la estufa, al igual que la condena en prisión es la consecuencia lógica de involucrarse en actos ilícitos y criminales como la ilegalidad de las drogas.

En respuesta a mi comentario el interno respondió: «Estoy preso, sin dinero, divorciado, y en raras ocasiones veo a mis hijos. Si es tan inteligente, entonces dígame, ¿cómo puedo cambiar esto?»

Le contesté: «Necesitas aprender y vivir las leyes del éxito».

Me respondió: «¿De qué está hablando?»

Proseguí: «Nuestras vidas se rigen por leyes, como la gravedad. Un niño, aunque ignore que existe esta ley, está gobernado por ella al caer cuando salta de una cornisa. Las leyes que gobiernan la riqueza, la salud y las relaciones son tan claras y vinculantes como las que gobiernan a nuestro mundo, como en el caso de la gravedad. No importa si conocemos o entendemos estas leyes, siempre están funcionando. Nuestro éxito o fracaso, nuestra felicidad o infelicidad, depende de nuestro conocimiento y aplicación de estas leyes en nuestras vidas».

El recluso entonces preguntó: «¿Entonces por qué algunas personas son ricas y otras son pobres?»

Le contesté: «¿Por qué algunas personas están físicamente en buena forma y otras con sobrepeso?» Le expliqué que la salud de las personas es diferente porque sus decisiones al respecto son distintas. Consideremos el caso de alguien con mucho dinero, pero también sufriendo de sobrepeso. Esta persona seguramente aprendió a vivir apegándose a las leyes que rigen las finanzas, pero descuidó su apego y obediencia a las leyes de la salud. Algo similar se puede decir de alguien que está en gran forma, pero viviendo en la pobreza. Hablamos de una persona que aprendió a respetar las leyes de la salud, pero descuidó su apego a las leyes de la riqueza. La buena noticia es que usted puede triunfar en todas las áreas de su vida, simplemente respetando y apegándose a las leyes relacionadas con cada área respectiva.

El interno entonces respondió: «Es evidente que usted es exitoso —¿Acaso también puedo serlo yo?—»

En respuesta, le pedí al recluso que se subiera a la mesa en la que estaba sentado, y yo hice lo mismo en la mesa enfrente del grupo desde donde impartía la plática. Entonces le dije: «A la cuenta de tres, saltaremos de la mesa. Uno, dos, tres». Y ambos saltamos hasta caer en el suelo. Le expliqué que lo que acabábamos de hacer era una muestra de que la ley de la gravedad nos gobierna a todos, independientemente de la edad, género, raza o educación. Lo mismo sucede con las leyes del éxito. Estas leyes que rigen el éxito son las mismas ahora, como lo fueron en el pasado y lo serán en el futuro. Nuestro conocimiento acerca de estas leyes del éxito puede fluctuar, pero sus principios y aplicación nunca cambian. Cualquiera puede tener éxito, ya que cualquiera puede aprenderlas y aplicarlas.

Todos tenemos el poder de elegir en lo que queremos convertirnos. Todos los hombres y mujeres nacen iguales, pero luego se vuelven diferentes a medida que van tomando decisiones en la vida. Cada uno elige obedecer las leyes de manera diferente. Uno puede elegir jugar softball, mientras que otro puede optar por abrir un negocio. Uno puede optar por encender la televisión, mientras que otro puede elegir leer un libro. Uno puede preferir jugar golf en su día libre, mientras que otro elige pasar el tiempo con la familia. Uno puede escoger escuchar la radio en el camino al trabajo, mientras que otro puede optar por escuchar libros en audios. Nacemos iguales, sin embargo, con el paso de los años nuestra forma de vida se diversifica, y todo a causa de que elegimos vivir las leyes de manera diferente. Es realmente muy simple. Seguir las leyes del éxito es garantía de resultados positivos.

Al terminar mi explicación, unos de los guardias de la prisión preguntó: «¿Cuánto dinero ganó el año pasado?»

Le respondí con otra pregunta: «¿Cuánto ganó usted el año pasado?»

El guardia respondió: «30,000 dólares».

Entonces respondí a su pregunta, diciéndole: «Gané diez veces más que usted el año pasado. ¿Cree que por eso soy diez veces más inteligente o mejor que usted?»

El guardia reflexionó por un momento y contestó: «No, usted no es diez veces más inteligente y mejor que yo».

Para que me entendiera, continué: «No hay diferencia entre usted y yo. Simplemente yo he aplicado ciertos principios financieros que aprendí en mi provecho. Pero también existen principios para el éxito matrimonial, para el éxito espiritual y, por supuesto, para el éxito financiero. Si usted lo desea, puede aumentar drásticamente sus ingresos, aprendiendo y aplicando las leyes de la riqueza».

Años más tarde, estaba en una reunión en la cámara de comercio y ahí me encontré casualmente con el recluso con el que había hablado en aquella ocasión en la prisión. Se me acercó y dijo: «Muchas gracias por visitarme en la cárcel; su mensaje cambió mi vida. Siempre me había preguntado por qué algunos hombres tenían vidas exitosas, mientras que la mía era miserable. Me preguntaba por qué existían personas triunfadoras, dueñas de hermosas casas y con familias felices, mientras que mi vida era todo lo contrario. Una vez que me enteré de que existían las leyes del éxito, mi corazón se llenó de esperanza y de paz. Me di cuenta de que todo lo que tenía que hacer era aprender esas leyes y luego tener el coraje, la disciplina y la determinación para aplicarlas debidamente. Una vez que me di cuenta de esto, tuve la convicción de que llegaría el día en el que viviría en la casa de mis sueños, sin deudas, y como un héroe para mi esposa e hijos. Ha sido un largo camino, pero he transformado mi vida de esclavitud y miseria en una existencia de libertad y prosperidad».

Capítulo II
El poder de elegir

«El poder más grande que posee una persona es su
poder de elegir».

-J. Martin Kohe

Hay quien cree que el hombre es producto de su entorno.
Sigmund Freud afirmó en cierta ocasión: «Intenten someter al
sufrimiento del hambre a un grupo de personas diversas y con
el aumento de la necesidad apremiante de alimentos todas las
diferencias individuales se borrarán y, en su lugar, aparecerán las
manifestaciones uniformes de este instinto no gratificado»[6]. Viktor
Frankl cuestionaba esta afirmación. Al escribir sobre su experiencia
en los campos de concentración nazis, el Sr. Frankl declaró: «En el
campo de concentración la gente se volvía más diferenciada aún.
Los cerdos se desenmascararon. Y también los santos»[7]. «En las más

degradantes circunstancias inimaginables, Frankl comprendió un principio fundamental de la naturaleza humana: entre el estímulo y la respuesta, el ser humano tiene la libertad interior de elegir»[8]. Los que estaban en el campo de prisioneros estaban en un entorno negativo similar, pero la gente era muy diferente dependiendo de la manera en que eligieron responder y actuar.

Al término de la Segunda Guerra Mundial, fueron liberados los sobrevivientes de los campos de concentración. Muchos de los presos estaban débiles y llenos de ira. En uno de los campamentos, los soldados estadounidenses observaron a un hombre de vigorosa apariencia, feliz y muy tranquilo. Su postura era erguida, sus ojos brillaban y denotaba una inquebrantable energía. Los soldados asumieron que seguramente ese hombre había sido encarcelado recientemente o no había estado expuesto al cruel sufrimiento que los demás habían padecido. Cuando lo interrogaron los soldados se enteraron de que «había padecido durante seis años las mismas condiciones de hambre que los demás prisioneros, había dormido en las mismas barracas sin ventilación y plagadas de enfermedades, pero sin manifestar en absoluto el mismo deterioro físico y mental que los demás mostraban»[9]. Explicó la razón de esta diferencia diciendo lo siguiente: «Vivíamos en el área judía de Varsovia (capital de Polonia), mi esposa, dos hijas, y tres niños pequeños. Cuando los alemanes llegaron a la calle en que vivíamos nos alinearon a todos contra la pared y nos apuntaron con sus ametralladoras. Les rogué que me permitieran morir con mi familia pero debido a que yo hablaba alemán optaron por dejarme vivo y me asignaron a un grupo de trabajo. En ese mismo momento elegí desprenderme del odio que llegué a sentir por los soldados que habían cometido ese acto tan ruin. Realmente fue una decisión fácil, ya que yo era abogado y en mi práctica profesional había visto muy a menudo el daño letal que causaba el odio en las mentes y cuerpos de las personas. Ese mismo odio acababa de privarme de las seis personas que más me importaban en el mundo. Así que decidí, a partir de ese instante, que pasaría el resto de mi vida —así fueran unos cuantos días o muchos años— demostrando mi amor a cada persona con la que estuviera en contacto»[10].

Poseemos en nuestro interior el poder de elegir la manera de responder a una situación que nos daña. No podemos controlar las acciones de los demás, pero sí podemos controlar nuestra forma de respuesta. A medida que entendemos mejor nuestro poder de elegir, podemos ejercer ese control más apropiadamente. Nuestra vida no es el resultado de nuestro medio ambiente o educación, sino el resultado de nuestras propias decisiones. Tenemos la capacidad de determinar el tipo de vida que queremos vivir y el tipo de persona que queremos ser.

Termostato vs termómetro

Esta idea de elección se puede ilustrar a través de una analogía entre un termómetro y un termostato. Un termómetro es fijo y solo refleja lo que está sucediendo a su alrededor. Simplemente responde a su medio ambiente. Si hace calor en el exterior, nos informa esta condición. Y si hace frío, nos informa dicha situación. Un termostato actúa diferente, mide la temperatura que detecta e inmediatamente reacciona cambiando la temperatura a las condiciones deseables. Si se quiere que la temperatura sea más fría, activa el aire acondicionado y enfría la habitación. Si se quiere que la temperatura sea más cálida, se activa el calefactor. Algunas personas son como un termómetro. Si su entorno es negativo, se vuelven negativas. Si ocurren cosas desagradables, se entristecen. Si suceden cosas buenas, son felices. Son simplemente un producto de su entorno. Las personas triunfadoras actúan diferente, se parecen más al termostato porque aunque su entorno sea negativo siempre eligen ser positivas.

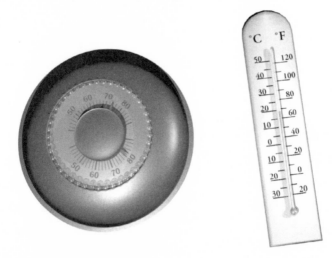

La felicidad nace del interior

Mi abuela falleció hace varios años y durante su funeral m pidieron que dirigiera unas palabras. En mis comentarios, expresé lo siguiente: «¿Qué cualidades tenía la abuela Taylor que irradió a lo largo de su vida? Fueron muchas sus cualidades —que fortalecieron a miles de personas— pero entre las cualidades más destacadas que vienen a mi mente en este momento mencionaría la felicidad que proyectaba.

No recuerdo un solo encuentro con mi abuela en el que ella no fuera feliz y positiva. A pesar de que su salud empeoró y su condición estaba lejos de ser la ideal, ella siempre mantuvo una actitud alegre y positiva. A pesar de su ardua lucha contra sus múltiples dolencias físicas, su sufrimiento de fracturas de huesos y pérdida de memoria, su estado de ánimo nunca mermó, aunque existieran argumentos que justificaran la tristeza y el desánimo. Siempre fue un ejemplo de optimismo motivando a todos los que la rodeaban. Recuerdo que siempre que la visitaba me despedía con palabras de ánimo y me aconsejaba «portarme bien». De ella aprendí la gran lección de que la felicidad no depende de condiciones externas, sino de nuestro interior».

El regalo del accidente

Mi esposa, Paula, es la persona más extrovertida, amigable y amorosa que haya conocido. Hace unos años estuvo involucrada en un accidente automovilístico. Todo sucedió cuando ella se detuvo por la luz roja de un semáforo y la conductora que la antecedía tres vehículos atrás no se detuvo, provocando un accidente que involucró a cuatro vehículos. Mi esposa no llevaba con ella los datos de su seguro del auto. Cuando llegué con esta información al sitio del accidente, la policía estaba tomando la declaración de los conductores y revisando sus documentos. Los conductores de los otros carros dañados estaban molestos e iracundos, en cambio Paula se veía feliz y haciendo amistades. Paula se acercó a la conductora responsable del accidente y le dio un abrazo, diciéndole: «Usted lo que necesita es un regalo». Enseguida le dio dos boletos para un partido local de fútbol estadounidense universitario que tendría lugar el siguiente sábado. La chica, aún en estado de shock, respondió: «Yo le dañé su vehículo y le causé un gran estrés a usted y su bebé, ¿cómo es posible que a cambio me esté dando un regalo?». Pero como mi esposa lo demostró, la conducción solo nos puede causar frustración y enojo cuando elegimos responder de esa manera.

Asumiendo la responsabilidad

Durante su carrera, el mariscal de campo del salón de la fama, Steve Young, tuvo 203 intercepciones y durante seis ocasiones interceptaron sus lanzamientos dos veces seguidas. Steve Young comentaba que después de cada intercepción: «Los entrenadores, mis compañeros de equipo y los fans querían que les diera una explicación. Pude haber recurrido a justificaciones como decir que "el receptor había corrido por la ruta equivocada", "los defensores habían fallado en el bloqueo del rival", "el balón se me había resbalado" o "perdí el equilibrio al lanzar el balón". Pero sabía que recurrir a las excusas no era para nada eficaz. He aprendido que debo asumir la responsabilidad por los errores que cometo. Por eso, cuando me interceptaban un lanzamiento, yo decía: "fue mi culpa", sin excusas, y luego le decía a mis compañeros de equipo que cuando recuperáramos el balón lo intentaríamos de nuevo. "Vamos a volver a tener nuevamente la posesión y anotaremos un touchdown". Mis compañeros de equipo y entrenadores respondían mucho mejor cuando asumía la responsabilidad por los errores cometidos que cuando buscaba culpables por mis equivocaciones»[11].

La mentalidad del vencedor en lugar de la mentalidad de la víctima

«Desde la década de los años setenta, varios sociólogos y críticos sociales han notado un incremento en el número de individuos que afirman ser víctimas para sacar provecho de esa condición y liberarse de responsabilidades... y explotar el recurso de la victimización como un medio de excusa y justificación de conductas ilícitas e irresponsabilidades personales»[12]. En lugar de hacer un esfuerzo, algunas personas recurren a las excusas para no hacer lo que podrían estar haciendo. Por eso es común escuchar el argumento: «No tuve las oportunidades en mi juventud que otros tenían». Otros dicen: «Estoy físicamente discapacitado para hacerlo». Sin embargo, la historia está llena de ejemplos de personas con discapacidades físicas que fueron grandes personajes. Podemos mencionar entre ellos al poeta griego Homero, el poeta inglés John Milton y el historiador estadounidense William Prescott; todos ellos pudieron recurrir a la justificación por ser ciegos, pero no lo hicieron. El ateniense, Demóstenes, fue el más grande de todos los oradores a pesar de que sus pulmones eran débiles, su voz era ronca y poco musical, y por si fuera poco también tartamudeaba. El gran compositor alemán Ludwig van Beethoven continuó componiendo, incluso después de quedarse totalmente sordo. Todos ellos tenían buenas excusas para no hacer nada —pero nunca se escudaron en ese argumento—»[13].

Mahatma Gandhi – De niño tímido al «Gran Alma»

Antes de que Gandhi se convirtiera en el líder de 500 millones de personas, ya lo llamaban «El Mahatma», que significa «Gran

Alma», y antes de llegar a ser el padre de una nación y ganar la lucha por su independencia, Gandhi fue un niño tímido y un hombre común y corriente. Él afirmaba: «No pretendo ser otra cosa más que un hombre común con capacidades por debajo del promedio... No tengo ni la menor sombra de duda de que cualquier hombre o mujer puede lograr lo que he logrado, si él o ella antepone el mismo esfuerzo y cultiva la misma esperanza y fe».

Gandhi nació el 2 de octubre de 1869 en Porbandar, India. Al momento de su nacimiento, la India era una nación que había sido gobernada por el imperio británico durante más de 200 años. «No había nada inusual en la personalidad del niño Mohandas Karamchand Gandhi, excepto que era muy, muy tímido. No tenía talento inusual y cursó sus estudios escolares siendo un estudiante por debajo del promedio»[14]. Gandhi escribió sobre su infancia: «Tenía cierta dificultad con las tablas de multiplicar... y era un niño muy, muy tímido que evitaba todo tipo de compañía... Tan pronto como concluían las clases corría de vuelta a mi casa... y literalmente lo hacía corriendo hacia atrás porque no podía soportar la idea de hablar con alguien en mi trayecto... Además era muy asustadizo». Incluso ya siendo un adolescente, Gandhi le tenía miedo a la oscuridad y no soportaba la idea de dormir sin una luz prendida en la habitación.

A los 13 años, Gandhi se casó con Kasturba Makanji. Tras cursar la preparatoria, Gandhi estudió en la universidad pero después de cinco meses tuvo que regresar a casa después de reprobar todas las clases. El tío de Gandhi sugirió entonces que se fuera a Londres a estudiar Derecho para convertirse en abogado. La esposa de Gandhi, Kasturba, vendió sus joyas para poder pagar el boleto de

Gandhi y viajar a Londres. Sus primeros meses en Inglaterra fueron tormentosos. Él escribió acerca de esta experiencia: «Por la noche las lágrimas corrían por mis mejillas y la nostalgia por el hogar no me dejaba dormir. Era imposible compartir mi miseria con alguien más. Estaba consciente de que nada podía aliviar ese dolor. Todo me resultaba extraño». «Durante semanas, Gandhi estuvo a punto de renunciar a su cometido y dar marcha atrás para tomar el próximo barco a casa. Pero... algo muy profundo en su interior lo obligaba a resistir hasta el final»[15].

En 1891, a los 21 años, después de tres años en Londres, Gandhi regresó a la India para ejercer la abogacía. «Pero su intención fue un rotundo fracaso. No solo no sabía la manera de aplicar los principios legales a situaciones particulares, su aprendizaje basado en las leyes inglesas lo dejaba sin el más mínimo conocimiento de la legislación india. Bajo esas circunstancias, nadie se atrevía a darle un caso... Sus colegas comenzaron a mofarse de él, apodándolo el "abogado desempleado"... Su primer caso se trató de una demanda rutinaria equivalente a diez dólares. Cuando Gandhi se puso de pie para hacer su interrogatorio las piernas le temblaban sin control, y abruptamente descubrió que no podía pronunciar una sola palabra. Finalmente, en medio de la hilaridad de sus colegas, procedió a cederle el caso a alguien con más experiencia y salió huyendo de la sala»[16].

Para ese entonces, el hermano de Gandhi le había conseguido una oportunidad de empleo en Sudáfrica haciendo trabajo de oficina de menor importancia. Gandhi estaba feliz de tener un trabajo y adquirir la experiencia que necesitaba. Sin embargo, este trabajo resultó ser más complicado de lo previsto. El trabajo consistía en proporcionar asesoría legal a un negocio con serias deficiencias para mantener apropiadamente sus registros contables. Gandhi carecía por completo de experiencia en asuntos contables, por lo que la tarea asignada resultó totalmente desalentadora. Gandhi ya tenía antecedentes en el pasado de rehuir de todo tipo de situación difícil. Pero empezó a darse cuenta de que la vida ofrecía una inmensa cantidad de desafíos por superar y por ello, tan pronto como se escapara de un problema, otro aparecería en su camino. Él sabía que lo que debía cambiar no eran sus circunstancias, sino él mismo, y esta vez no tuvo otra opción que emprender valientemente el reto de cambiar a nivel personal. Así fue que tuvo que involucrarse profundamente en su trabajo. Estudió contabilidad. Examinó todos los detalles del caso para descubrir las causas del problema que enfrentaba y de este modo logró resolver la dificultad que tenía enfrente. Aunque la razón estaba del lado de su cliente, el proceso legal podría prolongarse por un largo período de tiempo en perjuicio de su cliente y en beneficio de los abogados de la parte contraria en el juicio. Y Gandhi no estaba dispuesto a que eso ocurriera.

Así que procedió a convencer a ambas partes para que llegaran a un acuerdo extrajudicial mediante un procedimiento de arbitraje. La parte contraria eran parientes, por lo que Gandhi estaba interesado en que la disputa se resolviera rápidamente con el fin de evitar un mayor daño a la relación. Durante el arbitraje, a Gandhi le tomó mucho trabajo poder conciliar las partes, pero al final las dos partes quedaron satisfechas con el resultado. Finalmente, Gandhi describió esta experiencia de la siguiente manera: «Me permitió aprender el verdadero ejercicio de la abogacía. Aprendí a descubrir el lado positivo de la naturaleza humana y pude entrar en los corazones de las personas. Me di cuenta de que la verdadera función de un abogado era unir las partes que se desgarran en pedazos durante una disputa». Su experiencia de trabajo en el bufete de abogados de Sudáfrica le enseñó que el éxito llegó a su vida para cambiarlo, sin necesidad de cambiar su entorno.

Este fue el comienzo del éxito de Gandhi como abogado. Su enfoque en el servicio y la reconciliación comenzó a ganar la confianza de muchos clientes y le ayudó a construir la imagen de un abogado exitoso. A partir de entonces Gandhi también comenzó con lo que él llamaba «mi experimento con la verdad». Comenzó a estudiar las diversas fuentes de la verdad, y empezó a aplicarlas y probar estas enseñanzas en su propia vida. Gandhi hablaba de esas verdades que se esforzaba por vivir, diciendo: «No tengo nada nuevo que enseñarle al mundo. La verdad y la no violencia son conceptos tan antiguos como las colinas... Aquellos que creen en las verdades simples que he establecido solo pueden propagarlas a través de la vivencia».

Verdad 1: «Conviértete en el cambio que deseas ver en el mundo». –Gandhi

«Una madre, preocupada porque su hijo comía mucha azúcar y eso era malo para su dieta y el desarrollo de sus dientes, lo llevó ante Gandhi para pedirle que le dijera a su hijo que dejara de comer azúcar. Gandhi le dijo a la madre: "No puedo decirle eso. Es mejor que me lo traigas de nuevo en un mes". Transcurrido el tiempo prescrito, la mujer se presentó de nuevo ante Gandhi acompañada de su hijo. Entonces el maestro le dijo al niño: "No comas más azúcar, mi niño.

Eso no es bueno para ti". Enseguida lo abrazó y se lo regresó a su madre. Perpleja, la mujer le dijo a Gandhi: "¿Por qué no le dijiste eso hace un mes cuando te lo traje? Me costó tres días venir desde mi pueblo hasta aquí la primera vez. Otros tres para regresar a casa. Y ahora lo mismo". A lo que Gandhi respondió: "Hace un mes aún me encantaba el azúcar y comía mucha. Para poderle decir a tu hijo que no comiera más azúcar, yo tenía que dejar de comerla antes"[17]. Gandhi sabía que para guiar eficazmente a otros tenía que predicar con el ejemplo. Él decía: "¿Cómo puedo controlar a los demás si no soy capaz de controlarme a mí mismo?"».

En otra ocasión «Gandhi había abordado un tren que salía de la estación, y un reportero europeo corría junto a su compartimento preguntándole: "¿Quisiera enviar algún mensaje para la gente de mi país?". Desafortunadamente, ese día Gandhi lo había dedicado al silencio como parte de su rutina semanal, por lo que no le respondió al reportero. En su lugar, garabateó unas palabras en un trozo de papel y se lo entregó a los periodistas. El papel decía: "Mi vida es mi mensaje"[18]. Gandhi decía que "una onza de práctica vale más que toneladas de predicación"[19]».

Verdad 2: «Nadie puede herirme sin mi permiso». –Gandhi

«Mientras Gandhi subía a toda prisa a un tren que empezaba a salir, una de sus sandalias cayó a las vías. De inmediato reaccionó quitándose la otra sandalia y la tiró también a las vías para que después alguien pudiera encontrarlas y tener el par completo y poderlas usar»[20]. Gandhi convirtió la experiencia negativa de perder su sandalia en una oportunidad positiva de brindar un servicio a una persona necesitada. Gandhi decía que: «La experiencia no es lo que te sucede, sino lo que haces con lo que te sucede»[21].

«Una vez H.G. Wells le preguntó a Gandhi su opinión sobre un documento del que Wells era coautor, titulado *Los derechos del hombre*. Gandhi no estuvo de acuerdo con el énfasis que se ponía en el documento sobre los derechos. Le respondió con un cable que decía: "Le sugiero de la manera más atenta que comience el documento enfatizando los deberes del hombre, y le aseguro que después seguirán los derechos como la primavera sigue el invierno"[22]».

Gandhi escribió acerca de los malos tratos, el encarcelamiento y la opresión de los que fue víctima, diciendo: «Me pueden encadenar, torturarme, incluso destruir este cuerpo, pero nunca podrán encarcelar mi mente... En el momento en el que el esclavo decide que ya no va a ser esclavo, sus grilletes caen al suelo. Se libera y les demuestra a los demás cómo hacerlo. La libertad y la esclavitud son estados mentales».

Verdad 3: «Es muy fácil ser amistoso con nuestros amigos. Pero convertirnos en el amigo de aquel quien te considera tu enemigo es la esencia de la verdadera religión». –Gandhi

Gandhi luchó por la igualdad de derechos, el trato justo y la independencia de la dominación británica sobre el pueblo de la India, pero la suya no era una lucha tradicional. Gandhi buscó superar la explotación que sufría su pueblo, «devolviendo amor por odio, y respeto por desacato»[23]. Gandhi decía que: «La persona que odia a otra se destruye a sí misma física, emocional y espiritualmente. Cuando se ama, solo se recibe amor. El odio mata. El amor sana »[24]. También descubrió que llevar a la práctica la expresión «ojo por ojo, lo único que hace es dejar ciego a quien la aplica»[25]. Gandhi desafió a la gente, diciendo: «No recurran a la violencia aunque a primera vista prometa el éxito; es una acción que solo contradice su propósito. Utilicen mejor los medios del amor y el respeto, incluso si el resultado parece lejano e incierto... Si somos capaces de apegarnos a estos principios, la libertad de la India está asegurada... Me considero incapaz de odiar a ningún ser en la tierra... Pero puedo odiar y odio el mal dondequiera que se encuentre. Odio el sistema de gobierno que los británicos han implantado en la India. Odio la explotación despiadada de mi nación... No odio el poder dominante de los ingleses... Lo que busco es transformar ese odio en toda forma de amor que esté abierta para mí. Mi falta de cooperación no tiene sus raíces en el odio, sino en el amor»[26].

Cuando el erudito J.B. Kripalani escuchó por primera vez a Gandhi hablar de la lucha por la independencia haciendo uso del amor y el respeto en lugar de la violencia, se acercó a Gandhi y le dijo: «Sr. Gandhi... usted no sabe nada en absoluto acerca de la historia. Nunca ha existido una nación capaz de lograr su libertad sin violencia». Gandhi sonrió y respondió: «Usted no sabe nada acerca de la historia. Lo primero que tiene que aprender de ella es que porque algo no haya tenido lugar en el pasado, eso no significa que no pueda tener lugar en el futuro»[27].

Gandhi fue encarcelado varias veces como resultado de la negativa a obedecer leyes injustas, pasando seis años y medio de su vida en prisión. Durante una de sus reclusiones, le hizo un par de sandalias al hombre responsable de su encarcelamiento, el general

Jan Smuts. Muchos años después Smuts escribió de Gandhi: «En la cárcel Gandhi me hizo un par de sandalias. Las he usado durante muchos veranos, aunque siento que no soy digno de calzarme con las sandalias de un hombre tan grande»[28]. Al final de su vida, Gandhi dijo del general Smuts: «Al principio fue mi crítico y oponente más acérrimo. Hoy es mi amigo más fraternal».

El Gran Alma

«Gandhi nunca ocupó ningún cargo oficial en el gobierno, no tenía riqueza ni comandaba ningún ejército, pero era un hombre capaz de movilizar a millones de personas»[29]. Como resultado de su ejemplo y carácter personal, logró aglutinar a millones de personas debidamente organizadas que en conjunto lucharon para convertirse en una nación autosuficiente e independiente. El 15 de agosto de 1947, después de décadas de esfuerzos, se logró el objetivo. Jawaharlal Nehru, el Primer Ministro de la India, dijo en un discurso en la víspera de la independencia: «En este día nuestros primeros pensamientos van para el arquitecto de esta libertad, el padre de nuestra nación, Gandhi, que mantuvo en lo alto la antorcha de la libertad e iluminó la oscuridad que nos rodeaba... Al filo de la medianoche, cuando el mundo duerme, la India despertará a la vida y a la libertad... La libertad y el poder conllevan responsabilidad. El logro que celebramos hoy no es más que un paso, una apertura de oportunidades, a mayores triunfos y logros que nos esperan. ¿Seremos lo suficientemente valientes y sabios para aprovechar esta oportunidad y aceptar el reto del futuro?... Tenemos que poner manos a la obra y trabajar duro para hacer realidad nuestros sueños».

Lord Halifax Irwin (exgobernador general de la India), dijo de Gandhi: «Pocos hombres en la historia por su carácter personal y liderazgo han sido capaces de influir tan profundamente en el pensamiento de su generación».

El 30 de enero de 1948, mientras Gandhi entraba en una reunión de oración, le dispararon tres veces en el pecho a quemarropa. Solo dos días antes de su muerte, Gandhi le había escrito a Rajkumari Amrit Kaur lo siguiente: «Si he de morir por la bala de un desquiciado, debo hacerlo con una sonrisa. No debe haber ira dentro de mí». Gandhi cumplió su profecía. Con su acto final, bendijo al hombre que le disparó, esbozando una sonrisa en su rostro mientras caía herido de muerte. La vida de Gandhi terminó a los 78 años, pero su ejemplo y enseñanzas siguen siendo un modelo a seguir por otros.

«Más de 1 millón de personas... sollozaban a lo largo del cortejo fúnebre exclamando: "¡Larga vida a Mahatma Gandhi!"[30]». «El mundo entero reconoció su sentida pérdida cuando en las Naciones Unidas se izó la bandera de su nación a media asta. Ha sido el único individuo que sin ser parte de alguna organización internacional o gubernamental ha sido merecedor de tal reconocimiento»[31]. Albert Einstein escribió: «A las generaciones venideras les resultará difícil creer que una persona de carne y hueso como él haya existido alguna vez sobre la faz de la tierra».

Conclusión

Un monje escribió hace más de 900 años: «Cuando era joven, quería cambiar el mundo. Descubrí que era difícil lograrlo, así que traté de cambiar mi nación. Cuando me di cuenta de que tampoco podía cambiar mi nación, me concentré en cambiar mi ciudad. No pude lograrlo, y entonces con el paso de los años traté de que mi familia cambiara. Ahora, ya siendo un hombre viejo, me doy cuenta de que lo único que realmente puedo cambiar es a mí mismo y al reconocerlo me doy cuenta de que si eso lo hubiese hecho antes habría logrado que mi familia cambiara, y en consecuencia podríamos haber cambiado nuestra ciudad, nuestra nación y el mundo entero»[32].

ATRIBUTO 2:
LA CREATIVIDAD

«No creo que haya ninguna emoción que pueda atravesar el corazón humano como el que siente el inventor».

-NIKOLA TESLA

Capítulo III
Creación versus redistribución

«Algunas personas consideran a la empresa privada como un tigre depredador que debe ser fusilado. Otros ven en ella a una vaca que puede ordeñarse. Solo unos cuantos la ven como lo que realmente es —un poderoso caballo jalando un gran carruaje—».

-Winston Churchill

Cuando la gente se conforma con solo aprovechar los recursos limitados de los que disponen, su enfoque se orienta solamente en la justa distribución de esa riqueza limitada entre la sociedad. Dejan de lado el aspecto de la creación porque lo que existe actualmente es todo lo que habrá. En lugar de dividir el pastel actual que tenemos, deberíamos centrarnos en crear un nuevo pastel, lo suficientemente grande para que pueda ser compartido por todos. Las personas que consumen más de lo que son capaces de crear, ocasionan el agotamiento de los recursos y una desaceleración de la economía. Afortunadamente nuestro mundo es abundante en recursos y Dios le dio a los seres humanos la capacidad única de crear recursos en lugar de simplemente utilizarlos. Utilizar este don de crear los recursos es clave para nuestro bienestar económico.

La historia del granjero y el ladrón

Bobby, un adolescente de quince años, se hizo cargo de administrar en Arizona la granja de su familia después de que su padre enfermara. Algunos se aprovecharon de esta circunstancia y de la inexperiencia del joven, y comenzaron a saquear los cultivos de la granja. En un momento de ira, Bobby prometió atrapar a los ladrones y hacer justicia por su propia mano. Para él la venganza era la única opción.

Mientras su padre se recuperaba, Bobby realizaba rondas nocturnas por el campo al final de la jornada. Era casi de noche. A lo lejos, vio que alguien estaba cargando sacos de patatas en un carro. Bobby corrió rápidamente y atrapó al joven ladrón. Su primer pensamiento fue liberar su rabia a través de los puños y arrastrar al ladrón hasta su casa y llamar a la policía. Había atrapado al ladrón, y tenía la intención de ajustar cuentas.

Cuando Bobby estaba a punto de descargar su ira, su padre llegó y detuvo su camioneta. Salió del vehículo y puso su mano débil en el hombro de su hijo, diciéndole: «Veo que estás muy molesto, Bobby. ¿Me dejas manejar esto?» Acto seguido, se acercó al joven ladrón y puso su brazo alrededor de su hombro, lo miró a los ojos por un momento y le dijo: «Hijo, dime, ¿por qué haces esto? ¿Por qué estás tratando de robar esas patatas?».

El joven ladrón respondió: «No pensé que les hiciera falta. Usted tiene demasiado y yo tengo muy poco. No todo el mundo puede tener la riqueza que usted posee». En respuesta, el padre de Bobby le preguntó al joven ladrón: «¿Por qué crees que tengo esta granja grande y una casa cómoda?». «Porque su padre se las dio», respondió el muchacho. El padre de Bobby se rió y puso su brazo alrededor del joven. Tomó al ladrón y lo llevó hasta un área donde pudiera ver el árido desierto que rodeaba los sembradíos de patata y le dijo: «Hace treinta años, mi granja tenía el aspecto de esa área desértica. Originalmente compré 10,000 acres de tierra desértica a 27 dólares el acre. A través de años de trabajo duro, transformé esa tierra infértil en una próspera granja de patatas que ahora vale 3,500 dólares el acre. Como resultado de esos años de trabajo duro y creatividad, fui capaz de mejorar esa propiedad de 270,000 dólares en una granja productiva de 35 millones».

Los ojos del ladrón se abrieron con asombro y comentó: «¿Su granja vale 35 millones? ¿No cree que es egoísta tener tanto?». El padre de Bobby preguntó: «¿Egoísta? ¿Por qué dices eso?» «Lo digo porque si posee tanto, eso significa que queda menos dinero para los demás. No todo el mundo puede ser rico», afirmó el joven.

El padre de Bobby respondió: «Cuando respiro, ¿tú crees que por hacerlo disminuye la cantidad de oxígeno disponible para ti y tu familia? ¿Acaso la persona que se ejercita y consume más oxígeno es egoísta por absorber más cantidad que las demás personas que no lo hacen?». Perplejo, el joven ladrón respondió: «Por supuesto que no. Hay suficiente oxígeno para todo el mundo». Entonces el padre de

Bobby preguntó: «¿Por qué crees que hay tanto oxígeno?» «No lo sé. ¿Por qué?», respondió el muchacho.

El padre de Bobby explicó: «Hay mucho oxígeno porque la naturaleza lo produce. Al haber en abundancia no tenemos que racionarlo, ni corremos el riesgo de que se agote. También puedes generar la riqueza y por lo tanto puede llegar a ser tan abundante en nuestras vidas como el oxígeno. Podemos tener la riqueza que queramos mientras estemos dispuestos a trabajar para generarla. Decir que es imposible que todos puedan ser ricos es tan irracional como afirmar que no todos pueden respirar la cantidad de oxígeno que se desee. La tierra está diseñada para crear, producir y multiplicar su producción. Por ejemplo, de una sola semilla de manzana puede crecer un árbol que producirá cientos de manzanas cada año. Dos pollos se pueden reproducir para alimentar a miles de personas. Cuando logramos entender que es posible generar riqueza, podemos comprender que existe en abundancia para quien trabaja duro para ello, sin tener que adquirirla a expensas de los demás. El éxito de uno no limita la capacidad del otro para triunfar».

«Si cada persona produjera según su potencial, se podrían satisfacer abundantemente las necesidades de todo el mundo. Por ejemplo, la tierra es capaz de producir alimentos para una población mundial de al menos 80 mil millones de personas, ocho veces los 10 mil millones de personas que se cree habitarán la tierra para el año 2050. Un estudio estima que con métodos científicos mejorados, la tierra podría alimentar a mil millones de personas.[33] En 1930, había aproximadamente 30 millones de agricultores en los Estados Unidos, lo suficiente para producir alimentos para una población aproximada de 100 millones de personas. Los avances tecnológicos que experimentó la agricultura en los siguientes cincuenta años, permitieron que los cultivos fueran tan eficaces que para el año 1980 bastaban 3 millones de agricultores para producir suficientes alimentos para una población de más de 300 millones de personas. Esto equivale a un aumento del 3,000 por ciento en la productividad por agricultor»[34].

Entonces el joven ladrón preguntó: «Si el mundo es capaz de alimentar a cientos de miles de millones de personas, ¿por qué tanta gente muere de hambre?».

«Esa es una gran pregunta», dijo el padre de Bobby. Luego agregó: «Recuerda que te mencioné que si cada persona fuera capaz de producir de acuerdo a su potencial quedarían satisfechas las necesidades de todo el mundo. Solo es que existen dos impedimentos para que eso ocurra. En primer lugar, no todo el mundo está produciendo. En segundo lugar, muchas personas tratan de crear riqueza despojándola de otros que la han producido, en lugar de generarlas por sí mismas. Cuando alguien busca la riqueza de esta manera, lo que está haciendo es robar. ¿En tu caso, crees que estabas creando riqueza o robándola cuando tomaste las patatas de mi granja?».

«Estaba robándolas», respondió el joven. El padre de Bobby continuó: «Hay algunos que utilizan el sistema capitalista para aprovechar la circunstancia y despojar en vez de producir. Esta gente es ladrona».

Extrañado, el joven ladrón preguntó: «¿Entonces los negocios y la riqueza son cosas malas?». En respuesta, el padre de Bobby le contestó: «Los negocios y la riqueza pueden ser buenos o malos.

En realidad la pregunta que debemos hacernos es si el valor que representan es de origen lícito o ilícito, creado o robado. La riqueza que se obtiene a través del robo y del despojo a otros son recursos que se agotan rápidamente, en cambio cuando son resultado del trabajo duro y la creación son recursos que se multiplican abundantemente».

Entonces el joven ladrón dijo: «Tengo una última pregunta. ¿Por qué hay gente que cree que solo puede tener éxito a expensas de otra persona?».

El padre de Bobby respondió: «La causa principal es la falsa creencia de que no hay suficiente riqueza para todos. Con una creencia de escasez, si una persona adquiere más económicamente, esto significa que otra tiene menos. Un ejemplo de esta mentalidad de escasez lo podemos ver en el control de la población. Hay gente que cree en el control de la población, asumiendo que existe un pastel fijo de recursos para repartir entre todos. Por lo tanto, si hay más personas, cada una de ellas obtendrá un pedazo más pequeño del pastel. Con ese tipo de mentalidad, la única manera de aumentar la calidad de vida de cada individuo es reduciendo el número de personas para que en el reparto cada persona reciba un pedazo más grande del pastel.

»La gente buena no amasa riqueza tomándola de los demás; por lo tanto, las personas que piensan erróneamente que el mundo tiene una cantidad fija de riqueza para repartir, se sienten más culpables mientras más dinero tienen porque eso significa menos riqueza para otra persona. Una vez que la gente entienda que tienen la capacidad de crear riqueza, también entenderán que al hacerlo están mejorando la vida de la sociedad sin necesidad de tomar lo que no les pertenece de los demás. La creencia de que el mundo es abundante en recursos y que se puede crear riqueza es esencial para generar prosperidad para toda la sociedad. "Cuanto más desarrollamos una mentalidad de abundancia, más disfrutamos de compartir el poder, los beneficios y el reconocimiento, y más genuina es nuestra felicidad por los éxitos, el bienestar, los logros, el reconocimiento y la buena fortuna de los demás. Hasta el grado de sentirnos convencidos de que su éxito también es parte integral de nuestras vidas"[35]».

En agradecimiento por estas palabras, el joven ladrón dijo: «Gracias por la amabilidad que me ha mostrado. He aprendido mucho hoy».

El padre de Bobby invitó al joven a visitar la casa familiar. Ya estando allí, el señor le dijo al joven que le dijera los alimentos que él y su familia necesitaban e inmediatamente le entregó todo lo que requería. A partir de entonces, y mes tras mes, el joven aspirante a ladrón le pagó voluntariamente al padre de Bobby toda la comida que le había entregado, incluyendo los sacos de patatas que había intentado hurtar.[36]

Crear un pastel más grande

«Cuanto más compartas tus ganancias con todos tus asociados —salarios, incentivos, bonos o acciones— mayor será la utilidad de tu empresa».
-Sam Walton, fundador de Wal-Mart

Parecería lógico que cuanto mayor es la propiedad de acciones que se tenga en una empresa, mayor será la ganancia que se obtenga. Este no es siempre el caso, como lo descubrió Hyrum Smith, fundador de la empresa Franklin Planner. En 1984, al inicio de la creación de la empresa Franklin Quest Company, Hyrum se reunió con los cuatro hombres que le ayudaron a iniciar la empresa. El propósito de la reunión era decidir la participación accionaria que tendría cada uno. Por el simple hecho de ser el principal fundador, Hyrum podía tener la prioridad de obtener la participación mayoritaria en la empresa. Sin embargo, solo decidió quedarse con el 33 por ciento, dejando el 67 por ciento restante a los demás socios. A medida que la compañía crecía, Hyrum regalaba porciones adicionales de sus acciones a los empleados. El 3 de junio de 1992, las acciones de la empresa Franklin Quest comenzaron a cotizar en la Bolsa de Valores de Nueva York. El valor de las acciones que hasta entonces Hyrum había regalado a sus empleados ascendía a más de 200 millones de dólares, mientras que las acciones que él había conservado solo sumaban 60 millones de dólares. Uno de los agentes de inversiones quedó sorprendido al saber que Hyrum había regalado tan generosa cantidad de 200 millones de dólares. En respuesta, Hyrum le dijo a este agente: «Si yo no hubiese regalado esas acciones... el valor de las que conservé no se acercaría ni siquiera a los 60 millones de dólares... El valor de lo que hoy poseo se debe a que estuve dispuesto a compartir mi riqueza»[37].

El banquero vio que las acciones de Franklin Quest valían 260 millones de dólares en 1992, y Hyrum solo tenía el 23 por ciento de las mismas —por un valor de 60 millones de dólares—. El agente supuso que de Hyrum haber poseído el 50 por ciento de las acciones de la empresa, en este momento tendría acciones con un valor de 130 millones de dólares en lugar de 60 millones. Para Hyrum esto era irrelevante. Él creía en la abundancia y en el poder de la creación de riqueza. Así que prefería tener un pedazo más pequeño de un pastel grande, que un pedazo grande de un pastel pequeño. Supongamos que hipotéticamente Hyrum tuvo una participación mayoritaria en la empresa de un 60 por ciento, y como resultado en 1992 la empresa era más pequeña, con un valor de solo 50 millones de dólares. La participación accionaria de Hyrum del 60 por ciento habría sido de 30 millones de dólares, es decir, la mitad del valor actual de sus acciones, considerando el valor actual de la empresa que es de 260 millones de dólares. ¿Usted preferiría tener un porcentaje del 60 por ciento (30 millones) si la empresa tuviera un valor de 50 millones de dólares o le convendría más poseer un 23 por ciento (60 millones) de los 260 millones de dólares que actualmente vale la empresa?

Un caso similar sucedió en los inicios de McDonalds. El fundador, Ray Kroc, estaba molesto por tener que renunciar a un 22 por ciento de su participación accionaria para financiar las operaciones y el crecimiento de la empresa. Uno de los ejecutivos de McDonalds le dijo al Sr. Kroc: «Tienes que recordar, Ray, que el 78 por ciento de algo es mucho mejor que el 100 por ciento de nada»[38].

Estudio del caso de los Estados Unidos en la creación de riqueza

La historia de Estados Unidos nos muestra cómo se ha creado riqueza en esta nación y aumentado con el tiempo (véase el gráfico). Las cantidades de dinero en este estudio de caso han sido ajustadas por inflación a sus valores equivalentes al año 2005. Se puede ver que en 1960 había 53 millones de hogares en los Estados Unidos con un ingreso promedio de 50,062 dólares y un ingreso total de 2.65 billones de dólares. En el año 2000, había 105 millones de hogares en los Estados Unidos con un ingreso promedio de 88,745 dólares y un ingreso total de 9.37 billones de dólares. Así que desde 1960 hasta el 2000 la población se duplicó, mientras que los ingresos totales aumentaron 3.5 veces. De no haberse generado nuevos ingresos y la población se hubiera duplicado, el ingreso se habría reducido a la mitad en un término de 40 años, o sea, a solo 25,000 dólares. Afortunadamente este no fue el caso, ya que se logró generar nueva riqueza. La población se duplicó y el ingreso promedio aumentó en un 77 por ciento.

ESTUDIO DEL CASO DE LOS ESTADOS UNIDOS EN LA CREACIÓN DE RIQUEZA*			
	1960	1980	2000	Incremento 1960 – 2000
Total de ingresos personales en USA[39]	2.65 billones de dólares	5.26 billones de dólares	9.37 billones de dólares	3.5 veces
Total de hogares en USA[40]	53 millones	80 millones	105 millones	2.0 veces
Ingreso promedio por hogar	50,062 dólares	65,414 dólares	88,745 dólares	77%
Todas las cantidades en dólares reportadas a valores equivalentes al año 2005			

Mediante trabajo y desarrollo, los estadounidenses aumentaron sus ingresos de 2.65 billones de dólares a más de 9 billones de dólares. Esto demuestra que es más redituable crear que redistribuir la riqueza actual.

Benjamín Franklin: Creador motivacional

> «Al disfrutar de las ventajas de los inventos y
> descubrimientos de otros, hay que disfrutar de la
> oportunidad de servir a los demás con cualquier
> invención nuestra; y ello se debe hacer con libertad y
> generosidad».
>
> -Benjamín Franklin

«El ascenso de Benjamín Franklin (1706-1790) desde sus modestos inicios hasta el sitio privilegiado entre los estadounidenses más destacados de su época, es reconocido como una de las grandes historias de éxito en el mundo»[41]. Durante toda su vida fue un creador que aportó incontables contribuciones a la sociedad como autor, empresario, inventor, filántropo y funcionario.

Autor

Franklin fue un lector apasionado y escritor muy prolífico. En su autobiografía escribió: «Desde mi infancia era un apasionado de la lectura, y todo el dinero que llegaba a mis manos lo invertía en la compra de libros»[42]. Una de las creaciones más exitosas de Franklin fue el *Almanaque del pobre Richard*, que comenzó a publicarse a finales de 1732. El *Almanaque del pobre Richard* «combinaba las dos metas de la filosofía de ser próspero haciendo el bien: que consistía en hacer dinero y al mismo tiempo promover las virtudes. A lo largo de 25 años se convirtió en todo un clásico del humor en América»[43]. Franklin escribió lo siguiente del *Almanaque*: «Traté de que fuera entretenido y práctico y su éxito fue tal que resultó de lo más rentable, vendiéndose unos diez mil ejemplares cada año. Pensé que era un excelente medio para proporcionar enseñanzas a la gente sencilla que no solía comprar ningún otro libro. Consecuentemente, aproveché los espacios vacíos que quedaban en sus páginas e inserté frases, consejos o proverbios orientados por lo general a inculcar en los lectores laboriosidad y frugalidad, como un medio para alcanzar el bienestar económico y, desde allí, la consecución de las virtudes»[44]. A continuación enlisto algunos de los proverbios del *Almanaque*:

«Ten tus ojos bien abiertos antes del matrimonio; y medio cerrados después de él».

«Más vale un gramo de cordura que arrobas de sutileza».

«Busca en los demás sus virtudes, y en ti mismo tus defectos».

«¿Amas la vida? Entonces no malgastes el tiempo, porque ese es el material del que está hecha la vida».

«El que se acuesta con perros con pulgas se levanta».

«El mejor sermón es el buen ejemplo».

«Cuida de los pequeños gastos; un pequeño agujero hunde un barco».

«Ama a tus enemigos, pues ellos te dirán tus fallas».

«En la edición final del *Almanaque*, Franklin expuso un sermón ficticio de un anciano de nombre Padre Abraham que encarna todos los proverbios del pobre Richard relacionados con la frugalidad y la virtud... El sermón fue publicado como *The Way to Wealth* y se convirtió, por un tiempo, en el libro más famoso publicado en la América colonial»[45].

Hombre de negocios

En 1728 a la edad de 22 años, Franklin abrió una imprenta en Filadelfia. Franklin escribió en su autobiografía: «Apenas acabábamos de organizarnos e instalar la imprenta cuando George House, a quien yo conocía, nos trajo a un hombre de la comarca diciendo que lo acababa de conocer y que buscaba una imprenta. Como nos habíamos gastado todo nuestro dinero en la infinidad de cosas que necesitábamos para nuestro trabajo, los cinco chelines que aquel primer encargo nos procuró me parecieron de lo más oportuno, dándome más satisfacción que cualquiera de las coronas que llegué a ganar después»[46].

La opinión en la ciudad era que la imprenta de Franklin fracasaría debido a que ya había dos imprentas en el lugar. La laboriosidad y dedicación de Franklin hicieron que el negocio fuera todo un éxito. Franklin trabajó duro para ganarse el reconocimiento de sus clientes y de este modo pudo incursionar también en la publicación de un periódico y del *Almanaque del pobre Richard*. El Dr. Baird, uno de los comerciantes más prominentes de la ciudad, escribió: «La laboriosidad de ese Franklin no la he visto jamás, lo veo trabajando por la noche cuando salgo del club e inicia sus labores cuando sus vecinos todavía están durmiendo»[47].

«A principios de la década de 1730, el negocio de Franklin era próspero. Comenzó la creación de un pequeño imperio de imprentas. El negocio consistía en que sus propios trabajadores se independizaran y establecieran sus propios negocios en otras ciudades, desde Charleston hasta Hartford. Él participaba en sociedad con ellos, les suministraba las prensas, contenido de publicaciones y absorbía parte de los gastos, a cambio de beneficiarse con una porción de los ingresos»[48].

Franklin le agradeció al Dr. Baird y a otras personas que lo ayudaron en los inicios de su negocio, y en agradecimiento trabajó toda su vida ayudando a otros jóvenes principiantes. Como muestra de este agradecimiento, Franklin donó 1,000 libras (aproximadamente 4,400 dólares) a la ciudad de Boston y otras 1,000 libras a la ciudad de Filadelfia. Para evitar que se gastara indebidamente ese donativo, Franklin solicitó que el dinero se invirtiera en un fondo fiduciario y se empleara para proporcionar préstamos a «comerciantes casados menores de 26 años» para ayudarles a financiar sus propios negocios. Durante los doscientos años que subsistió este fondo, se logró prestar a miles de personas para que financiaran sus proyectos. El fondo fiduciario de Filadelfia creció a 2.25 millones de dólares, y el de Boston a 5 millones de dólares.[49] Benjamín Franklin conocía el poder de la capitalización de intereses, por lo que escribió al respecto lo siguiente: «Recuerden que el dinero es de naturaleza prolífica. El dinero puede engendrar dinero y su descendencia puede engendrar más, y así sucesivamente. Cinco peniques al día se pueden transformar en seis, siete o más, y multiplicarse hasta convertirse en cien libras»[50].

«Su dedicación a los principios financieros le permitió jubilarse con independencia económica a la temprana edad de 42 años. Esto le permitió transmutar su dinero en tiempo disponible para ejecutar múltiples proyectos, gracias a su jubilación anticipada. Durante los siguientes 42 años, antes de su muerte a los 84 años, logró éxitos increíbles. La mayoría de nosotros no disponemos de un tiempo extra tan prolongado para alcanzar tales logros —no porque no sepamos administrar bien nuestro tiempo, sino porque pasamos la mayor parte de nuestra vida obsesionados en transmutar el tiempo en dinero—»[51].

Benjamín Franklin le dio el siguiente consejo a un joven comerciante en 1748: «El camino hacia la riqueza, si usted la desea obtener, es tan claro como el camino al mercado. Depende principalmente de dos palabras, trabajo y ahorro; lo que significa no desperdiciar ni tiempo ni dinero, sino obtener el mejor provecho de ambos... Lo voy a familiarizar con el verdadero secreto para conseguir dinero, llenar monederos vacíos y mantener sus bolsillos siempre llenos. Solo siga dos reglas simples y apéguese a ellas, y el éxito lo tendrá asegurado. En primer lugar, permita que la honestidad y el trabajo sean sus compañeros constantes; y en segundo lugar, gaste menos de lo que gane... con solo hacer eso logrará la felicidad e independencia financiera»[52].

Inventor

Franklin fue uno de los inventores más importantes de los Estados Unidos gracias a sus inventos de la armónica, la chimenea de Pensilvania, el catéter, nuevos fertilizantes, el pararrayos, los lentes bifocales y el cuentakilómetros.

La chimenea de Pensilvania

A principios de la década de 1740, Franklin inventó «una estufa de hierro para calentar habitaciones con ahorro de combustible que maximizaba el calor y reducía a un mínimo el humo y las corrientes de aire. Usando su conocimiento de la convección y la transferencia de calor, a Franklin se le ocurrió este ingenioso diseño»[53]. En 1744,

Franklin comenzó a fabricar y comercializar la estufa por todo el noreste.

Fertilizante

Franklin descubrió que el yeso, una roca similar a la piedra caliza, podía ser pulverizada en un polvo fino llamado yeso agrícola que aplicado a un campo de cultivo actuaba como fertilizante. Franklin les dijo a sus vecinos que el uso del yeso terroso como fertilizante aumentaría el rendimiento de la producción de sus cultivos. Ellos no le creyeron, argumentando que ese tipo de material no era de ninguna utilidad para el campo. Para probar su teoría, «Franklin esparció yeso en un campo de tréboles, cerca de uno de los principales caminos de Pennsylvania, y puso un letrero como punto de referencia para que las letras fueran detectadas rápidamente por la altura que el trébol había logrado, y cuya frase decía: "Este campo fue sembrado con yeso"[54]».

Desde el descubrimiento de Franklin, varios estudios han permitido comparar la producción de campos que utilizan el yeso en sus sembradíos contra otros campos donde no se usó este fertilizante. Los estudios descubrieron que «al esparcirse un bushel de yeso en un acre de tierra se obtienen rendimientos de producción 20 veces mayores»[55]. Franklin había creado una forma de aumentar drásticamente la producción de cultivos.

El pararrayos

En el verano de 1743 durante su visita a Boston, Franklin conoció a un científico escocés que realizaba trucos con la electricidad.

Franklin escribió acerca de esos experimentos: «Era un tema novedoso para mí que me sorprendió y agradó... Con gran avidez aproveché la oportunidad de repetir por mí mismo lo que ya había visto hacer en Boston, y a base de mucha práctica adquirí gran destreza para realizar otros nuevos experimentos que añadí por mi cuenta»[56].

Franklin estaba absorto en el estudio de la electricidad y pasaba el tiempo realizando muchos experimentos, aunque algunos de ellos le ocasionaban descargas eléctricas dolorosas. Descubrió muchas propiedades importantes de la electricidad, pero todavía tenía que encontrar aplicaciones prácticas. Al respecto escribió: «Estoy un poco desilusionado porque hasta ahora no he sido capaz de producir con la electricidad algo provechoso para la humanidad»[57]. Luego bromeaba diciendo que la descarga eléctrica por lo menos podría servir para cambiar a la gente, y escribía: «Si no se descubre un uso provechoso de la electricidad, al menos una descarga eléctrica puede transformar a un hombre soberbio en humilde»[58].

«En el diario donde registraba sus experimentos, Franklin señaló en noviembre de 1749 algunas similitudes interesantes entre las chispas eléctricas y los relámpagos... Durante siglos, el azote devastador de un rayo había sido considerado generalmente como un fenómeno sobrenatural o como una expresión de la voluntad de Dios. Ante la proximidad de una tormenta, repicaban las campanas de la iglesia para ahuyentar los espíritus malignos. "El sonido que emite el metal consagrado repele al demonio y evita la tormenta y los relámpagos", declaró Santo Tomás de Aquino. Pero incluso los más fervientes creyentes religiosos ya habían notado que ese método no demostraba ser muy efectivo. Durante un período de treinta y cinco años, tan solo en Alemania, a mediados de la década de 1700, 386 iglesias fueron afectadas por el efecto de los rayos y más de un centenar de individuos cayeron muertos, víctimas de su poder fulminante»[59]. Más tarde, Franklin le escribió lo siguiente al profesor de Harvard, John Winthrop: «Pareciera que los rayos eligen campanarios para impactar en ellos; como si fuera una bendición para los que son nuevos y una maldición para los que son viejos. Uno pensaría que ya es hora de probar con algún otro truco más convincente»[60].

Franklin creía que si su suposición era correcta de que un rayo era electricidad, entonces los pararrayos podrían utilizarse para proteger las casas, los barcos, las iglesias y otras estructuras de uno de los mayores peligros naturales que enfrentan las personas. Esto dio lugar a su más famoso experimento de capturar cargas eléctricas de un rayo en una botella de Leyden, para probar en su laboratorio que el rayo era electricidad. Franklin fabricó una cometa de la cual pendía un hilo de seda atado a una llave. Franklin y su hijo, William, volaron la cometa hacia un nubarrón y, cuando colocó su mano cerca de la llave, una chispa saltó entre ambas. Después consiguió cargar la botella de Leyden con la energía del rayo a través de la llave y descubrió que el rayo tenía las mismas propiedades que la electricidad. Ese verano Franklin mandó a instalar dos pararrayos conectados a tierra en dos edificios altos en Filadelfia y uno más en su casa.

«A partir de entonces los pararrayos comenzaron a levantarse por toda Europa y las colonias. De la noche a la mañana Franklin se convirtió en un hombre famoso. Harvard y Yale lo distinguieron con títulos honorarios en el verano de 1753... Pocos descubrimientos científicos han sido de tal envergadura en brindar un servicio inmediato a la humanidad... Franklin logró solucionar uno de los mayores misterios del universo al dominar uno de los peligros más terribles de la naturaleza»[61].

Filántropo

El club Junto

En el otoño de 1727, Franklin creó un club intelectual enfocado en la superación personal y en el mejoramiento de sus negocios y la comunidad. Él escribió: «La mayoría de mis amigos talentosos y yo habíamos formado un club intelectual al que llamamos Junto, en el que nos reuníamos los viernes por la noche»[62]. Los miembros de este club apoyaron a Franklin en muchos de sus proyectos y creaciones.

La biblioteca de Filadelfia

En 1731, Franklin, con la ayuda de los otros miembros de Junto, crearon la primera biblioteca pública de los Estados Unidos para que la gente pudiera consultar una amplia variedad de libros. También se ofrecía el servicio de prestar los libros para aquellas personas que no podían permitirse el lujo de comprarlos. Franklin escribió al respecto: «Gracias a estas bibliotecas se ha incrementado el arte de conversar entre los estadounidenses; se ha conseguido que la gente del campo y del comercio hayan logrado desarrollar su inteligencia y codearse con caballeros de cualquier otro país e incluso es posible que hayan influido sustancialmente en impulsar la conciencia de las colonias en la defensa de sus privilegios»[63]. La biblioteca de Filadelfia, la cual tenía 375 títulos en 1741, ahora ha crecido a más de 500,000 libros con miles de visitantes cada año.

La Universidad de Pensilvania

Franklin era un fuerte defensor de la educación y quería establecer una universidad en Pensilvania. «Para tal efecto, en 1749 presentó su visión para un nuevo tipo de institución de aprendizaje que, a diferencia de otras universidades de la América Colonial, no se centraría en la educación para el clero, sino en preparar a los estudiantes para el liderazgo, los negocios y el servicio público. El programa de estudio propuesto se convertiría en el primer plan moderno de estudios de artes liberales de la nación»[64]. Franklin escribió lo siguiente en un panfleto titulado *Propuestas relacionadas con la educación de la juventud en Pensilvania*. «La buena educación de la juventud es un valor muy estimado por los sabios de todas las épocas, por ser la base más sólida y segura de la felicidad de familias acomodadas y modestas... La educación debe desarrollar la proclividad y capacidad del individuo para servir a la humanidad, a la patria, a los amigos y a la familia... y debería, en realidad, ser el gran objetivo y fin de todo aprendizaje»[65].

Franklin reunió los fondos necesarios para la academia y presentó una propuesta detallada de los temas a enseñar y los «procedimientos exhaustivos sobre las mejores maneras de enseñanza de una amplia variedad de materias, desde pronunciación hasta historia militar»[66]. La academia abrió sus puertas en enero de 1751 (y fue reconocida como Universidad de Pensilvania en el año 1791) con Franklin en el cargo de presidente de la junta directiva. La Universidad de Pensilvania continúa creciendo, con una matrícula actual de más de 24,000 estudiantes y cientos de miles de exalumnos.

Hospital de Pensilvania

Franklin fundó el primer hospital de América en Filadelfia, con la ayuda del Dr. Thomas Bond. La idea del hospital fue del Dr.

Bond, y se acercó a Franklin en busca de ayuda para su creación. En 1751, Franklin publicó artículos en La Gaceta de Pensilvania con el objetivo de despertar interés y captar donativos para la construcción del hospital. En agosto de 1751 escribió: «Lo que los buenos hombres pueden hacer en el alivio de los enfermos es pequeño, comparado con lo que pueden hacer colectivamente; o mediante un esfuerzo e interés conjunto. De ahí la necesidad de crear hospitales... para la recepción, atención y curación de enfermos pobres, ya que la experiencia ha demostrado ser una forma sumamente beneficiosa debido al gran número de pacientes perfectamente curados que de otra manera serían pérdidas para sus familias y la sociedad»[67].

«Con el talento de Franklin para popularizar las ideas, en 1751 se lograron obtener los fondos necesarios tanto de la legislatura de Pensilvania como de ciudadanos privados; la legislatura le prometió a Franklin que ellos aportarían el equivalente a lo que aportara la ciudadanía. Este método de recaudación de fondos que ahora se conoce como fondos complementarios, en aquel entonces resultaba algo totalmente novedoso. ¡Otra idea de Franklin para recaudar fondos fue la venta de un cuadernillo promocional titulado *Algunos relatos del Hospital de Pennsylvania* (1756), que en su última página incluía un formulario de aportaciones voluntarias!»[68]. Con estas ideas creativas de recaudar fondos, Franklin adquirió los recursos económicos necesarios y escribió: «Un edificio cómodo y hermoso pronto fue erigido; la institución se equipó de talento humano ofreciendo un servicio útil y eficaz»[69]. El hospital continúa brindando servicio al público 250 años después, «con más de 29,000 hospitalizaciones y 115,000 consultas externas anuales, incluyendo más de 5,200 nacimientos»[70].

Funcionario público

«De todos los padres fundadores, Franklin tiene la distinción única de haber firmado los tres documentos principales que liberaron a las colonias de la dominación británica y que declararon a los Estados Unidos una nación independiente: la Declaración de Independencia, el Tratado de París, y la Constitución de los Estados Unidos»[71].

La firma de la Declaración de Independencia fue un acto solemne que requirió de una firme convicción y patriotismo. Era considerada una traición contra el gobierno británico —un delito que se castigaba con la muerte. Durante el acto de la firma, Franklin es citado históricamente por haber respondido a un comentario de John Hancock de que todos ellos debían ser ahorcados juntos, a lo que Franklin respondió: «Sí, o de lo contrario seremos ahorcados por separado»[72]. Este juego de palabras sugería que si no lograban mantenerse unidos y ganar la revolución, seguramente serían juzgados y ejecutados, de forma individual, por traición.

Durante la Guerra de Independencia, Franklin sirvió como ministro plenipotenciario en Francia desde 1778 hasta 1785, «logrando una exitosa negociación de alianza entre los franceses y las colonias unidas. Esta alianza posibilitó obtener préstamos del gobierno francés para financiar la Revolución de las Trece Colonias contra los británicos»[73]. La Guerra de Independencia terminó oficialmente, en parte gracias a la diplomacia de Franklin durante las negociaciones del Tratado de París que se tradujo en que las grandes superpotencias del mundo, Francia y Gran Bretaña, reconocieran a los Estados Unidos como «estados soberanos, libres e independientes»[74].

Tras la victoria en la Guerra de Independencia, las colonias estadounidenses tuvieron la oportunidad única de establecer un nuevo país y gobierno. Los Artículos de la Confederación constituyeron el primer documento de gobierno que débilmente unía a las trece colonias recién independizadas, sin embargo, era incompleto e inadecuado para asumir el control total de la nueva nación. Para establecer una constitución y una nueva forma de gobierno, se organizó la Convención Constitucional que se llevó a cabo en Filadelfia entre los días 25 de mayo y 17 de septiembre de 1787. George Washington presidió la convención y, en compañía de otros 54 grandes líderes, uno de los cuales era Benjamín Franklin, redactaron la Constitución.

En septiembre de 1787, la Constitución estaba terminada y lista para ser firmada. Sin embargo, muchos de los 55 delegados estaban descontentos. Franklin pronunció un apasionado discurso «en el que utilizó su poder de persuasión para instar a todos los delegados a firmar el documento»[75]. Dijo lo siguiente: «Debo confesar que no estoy totalmente de acuerdo con esta Constitución en este momento, pero no estoy seguro que nunca la aprobaré... También dudo si en alguna otra Convención podamos hacer una Constitución mejor... Es difícil lograrlo con tantos participantes, todos ellos con sus prejuicios, sus pasiones, sus errores de opinión, sus intereses locales y sus puntos de vista egoístas. Por lo tanto, señor, me sorprendería encontrar otro sistema que se acerque tanto a la perfección como lo hace este; y creo que esto sorprenderá también a nuestros enemigos. Espero, pues, que por nuestro propio bien, como parte del pueblo, y por el bien de nuestra posteridad, actuemos con convicción y unanimidad en recomendar esta Constitución»[76].

Tras el discurso de Franklin, se firmó la Constitución. «Mientras los últimos miembros estaban firmando, el Dr. Franklin mirando hacia la silla del presidente, que casualmente tenía pintado un amanecer en la parte de atrás, le comentó a algunos de los presentes que a los pintores a menudo les resultaba difícil poder expresar con claridad en sus cuadros la distinción entre un amanecer y un atardecer. Siguió diciendo que esa imagen le había llamado la atención constantemente durante el curso de la sesión, y que en medio de todas las vicisitudes de sus esperanzas y miedos en cuanto al tema tratado ese día, no pudo sustraerse de esa imagen ante la interrogante de si se trataba de un amanecer o un atardecer. Pero ahora aseguraba que por fin pudo desentrañar el misterio, afirmando que se trataba realmente de un amanecer y no de un atardecer»[77]. «Es como el amanecer de nuestra nación», dijo finalmente. En la actualidad, los Estados Unidos de América tienen una población de más de 300 millones de ciudadanos, con un ingreso anual combinado de más de 9 billones de dólares.

Legado creativo

Franklin murió el 17 de abril de 1790, a los 84 años. «Se estima que 20,000 dolientes se reunieron para el funeral. Cuando Franklin arribó al puerto de Filadelfia el 6 de octubre de 1723, era solamente un hombre sin fortuna en busca de oportunidades. Ahora los barcos en ese mismo puerto en el que Franklin había llegado hacía muchos años, estaban a media asta en memoria del hombre que había enriquecido al mundo con su talento»[78]. Franklin pasó su vida creando y 250 años después su trabajo continúa bendiciendo la vida de millones de personas. ¿Cuál será su legado creativo?

Conclusión

Abraham Lincoln dijo en un discurso: «Admito que lo mejor para todos es dejar que cada hombre sea libre para ser autosuficiente. Nadie puede privarse de ser rico. No creo que pueda existir ley alguna que le impida a un hombre volverse rico; pues sería una ley que causaría más daño que bien... Cuando se sufre la pobreza, como la mayoría la padece en la carrera de la vida, una sociedad libre es lo que puede garantizar que cualquier hombre pueda mejorar su condición... No me avergüenzo de confesar que hace veinticinco años yo era un trabajador contratado... Quiero que cada hombre tenga la oportunidad... de poder mejorar su condición —de poder mirar hacia adelante y aspirar de ser un trabajador contratado a un contratista de trabajadores que trabajen para él—. Ese es el verdadero sistema... En donde la propiedad sea el fruto del trabajo; ese tipo de propiedad es lo deseable y algo positivo en el mundo. Un sistema en el que todo hombre pueda aspirar a la riqueza y por lo tanto un estímulo para la industria y la empresa. No permitamos que haya gente sin techo despojando a otro de su propiedad; mejor dejemos que esa gente trabaje con diligencia y construya su propio hogar»[79].

ATRIBUTO 3:
LA INDEPENDENCIA

«Toda dádiva tiene un precio y ese precio es la pérdida de la libertad. Debemos preservar nuestros talentos de autosuficiencia, nuestra capacidad de crear cosas por nosotros mismos y nuestro verdadero amor a la independencia».

-CAMERON C. TAYLOR

Capítulo IV
Evite ayudas perjudiciales

«La caridad es perjudicial a menos que ayude a quien la recibe a independizarse de ella».

–John D. Rockefeller, Jr.

Existe una historia acerca de una familia acomodada en la que el padre había construido un negocio próspero y muy exitoso desde el principio. Ante la proximidad de su jubilación, el padre llamó a su hijo a su oficina y le dijo que eventualmente él asumiría el control de la empresa. El hijo muy emocionado le preguntó: «¿Cuándo me cederás la dirección de la empresa?». El padre respondió: «No voy a darte nada, te tienes que ganar ese derecho». El hijo respondió: «¿Y cómo se supone que debo hacer eso?».

El padre respondió: «En primer lugar, debes trabajar para tener 10,000 dólares y poder comprar una pequeña parte de las acciones de la empresa». El hijo salió de la oficina dispuesto a buscar la manera de ganarse ese dinero, pero su madre lo detuvo y puso en sus manos los 10,000 dólares que necesitaba, diciéndole que le diera el dinero a su padre. Emocionado por su buena suerte, el hijo corrió para entregar el dinero. Su padre estaba sentado junto a la chimenea leyendo un libro. El hijo se acercó y le dijo: «Papá, papá, aquí está el dinero que me pediste para el negocio». Sin levantar la vista, el padre tomó el dinero y lo arrojó al fuego. El hijo se quedó congelado de asombro y observaba estupefacto el dinero consumiéndose en el fuego. En seguida, su padre le dijo: «Vuelve cuando realmente te hayas ganado ese dinero».

Al salir de la habitación, su madre le dio nuevamente otros 10,000 dólares y le dijo que debía ser más convincente en venderle la idea a su padre de que había trabajado realmente para ganar ese dinero. Con la firme intención de seguir el consejo de su madre, el muchacho se aprestó a llenarse de valor corriendo alrededor de la cuadra un par de veces, y luego se dirigió nuevamente a cumplir su propósito. Su padre todavía estaba sentado en frente de la chimenea leyendo un libro. El muchacho se le acercó y le dijo: «Estoy de acuerdo que es difícil poder ganar cada dólar. Pero aquí tienes el dinero para comprar mi parte. Quiero que sepas que realmente quiero ser dueño de la empresa». Una vez más el padre tomó el dinero y lo tiró en la chimenea. A medida que el dinero se consumía, el hijo le preguntó: «¿Cómo sabes que no supe ganarme este dinero?». El padre respondió: «Lo sé porque es fácil desprenderse o derrochar el dinero cuando no cuesta trabajo ganarlo».

En ese momento, el hijo se dio cuenta de que siguiendo la misma estrategia no conseguiría ser parte de la empresa, a menos que realmente trabajara para ganar el dinero necesario. Él anhelaba cumplir su objetivo, por lo que cuando su madre le ofreció el dinero nuevamente, optó por declinar su oferta. Prefirió salir y emplearse en algunos trabajos ocasionales, aunque la exigencia lo obligara a levantarse temprano y salir hasta tarde de su empleo. Eso no lo detuvo, trabajó y trabajó hasta que finalmente logró reunir los 10,000 dólares que requería. Orgullosamente, se dirigió a entregarle el dinero a su padre. Al igual que en las ocasiones anteriores, él estaba sentado junto al fuego leyendo un libro. Y al igual que en esas ocasiones, el padre tomó el dinero y lo tiró a la chimenea. Mientras el fuego hacía su parte, el muchacho preso de la desesperación se abalanzó a la chimenea y metió las manos en el fuego para extraer el dinero. El padre miró a su hijo a los ojos y le dijo: «Veo que esta vez realmente te ganaste con tu esfuerzo este dinero».

La ayuda perjudicial como padres

Un empresario y líder religioso compartió esta experiencia: «Recuerdo que hace algunos años, un hombre joven junto con su esposa e hijos pequeños se mudaron a nuestra comunidad en Arizona. Mi relación con ellos fue creciendo y un día el padre de familia me contó de los tiempos difíciles que atravesó en su juventud. Me dijo que tenía que levantarse diariamente a las cinco de la mañana para salir a vender periódicos. También me habló de las duras faenas de trabajo extenuante en una granja y de las muchas tareas difíciles que había tenido que realizar para subsistir, y que todo ello le había causado irritación y un hondo resentimiento en su alma. Luego concluyó con esta frase: "Mis hijos nunca pasarán por lo mismo que yo sufrí". Lamentablemente, lo que vemos como resultado de esta forma de pensar son hijos en pleno desarrollo sin ninguna responsabilidad de emprender cualquier tarea específica».

Muchos padres cometen el error de apoyar financieramente a sus hijos, causándoles un daño más que un bien. Tienen la buena intención de querer ayudar a sus hijos a empezar su camino en la vida y ofrecen incondicionalmente su apoyo ante una necesidad financiera. Desafortunadamente, el resultado es a menudo todo lo contrario a lo que se espera. En lugar de ayudar a los hijos a ser autosuficientes, los volvemos dependientes. En lugar de desarrollar en ellos iniciativa y disciplina, los volvemos ociosos y pasivos. En lugar de orientarlos al logro, los convertimos en conformistas y mediocres. En lugar de ser agradecidos, se vuelven más exigentes. «Los hijos que siempre consiguen lo que quieren, toda su vida serán así»[80]. La investigación ha demostrado que «en general, cuando se consiente a los hijos y se les da dinero a manos llenas [de sus padres] son adultos menos proclives al ahorro, y ocurre lo contrario cuando se les consiente menos y se les da dinero limitadamente»[81].

¿Cómo podemos asegurarnos de que nuestros hijos crezcan con una mentalidad de tratar de obtener dinero en lugar de una mentalidad predispuesta solo a recibirlo? Una de las mejores maneras de crear una mentalidad de tratar de obtener dinero en nuestros hijos es enseñarles a trabajar. Sin embargo, hay una tendencia creciente de que cada vez hay menos hijos que trabajan. Gracias a que los padres proveemos los medios económicos necesarios que satisfacen todas las necesidades de nuestros hijos, muchos adolescentes ya no trabajan durante el verano. En el 2007, por primera vez en la historia, la mayoría de los adolescentes de los Estados Unidos no estaban trabajando o buscando trabajo en el inicio del verano. Para junio del 2007, solo el 49% de los adolescentes de 16 a 19 años estaba trabajando o buscando trabajo, lo que demuestra un fuerte descenso comparado con el 68% que trabaja o buscaba trabajo en junio de 1978.[82]

Existe otra tendencia que creo que está relacionada con la tendencia de un menor número de adolescentes que trabajan. A medida que se ha reducido el número de adolescentes que trabajan actualmente, se ha incrementado el número de hijos adultos que regresan a vivir con sus padres. Según las cifras del censo, se indica que más de 80 millones de los llamados «nidos vacíos» ahora tienen al menos un hijo adulto viviendo en casa.[83] La expectativa común de los padres de disfrutar de un «nido vacío» ha dado paso a la realidad de un «nido lleno de gente». Al respecto, una encuesta reciente reveló que el 25% de los jóvenes graduados universitarios tiene la esperanza de vivir en la casa de sus padres después de graduarse.[84]

Para enseñarles a los hijos una buena ética de trabajo, los padres deben buscar oportunidades para que sus hijos trabajen. Tengo un hijo de 6 años de edad, y él nunca me pide dinero. Cuando quiere comprar algo, él me pide hacer algún trabajo que le permita ganar el dinero y comprar lo que desea. Mi hijo ha aprendido que mamá y papá no le darán dinero, sino que tiene que esforzarse para obtenerlo. Él me ayuda cuando tengo que hacer varios anuncios publicitarios para mis empresas. Cuando llego a casa con los anuncios, mi hijo se emociona tanto que a menudo manifiesta su alegría gritando: «¡Hurra! Papá trajo trabajo para hacer». Es muy divertido ver a un niño de 6 años emocionarse de esa manera por trabajar y ganar dinero.

Los padres también deberían crear un entorno financiero que motive a sus hijos a trabajar y ganar dinero fuera del hogar para ser autosuficientes económicamente durante su juventud y labrarse su propio camino en su paso por la universidad. He comprobado que los estudiantes de preparatoria y universidad que trabajan y estudian, tienen una ética de trabajo más fuerte que aquellos que solo se dedican a estudiar. Conocer esta tendencia me ha llevado a la conclusión de que enseñar a un hijo a trabajar no significa simplemente enseñarles cómo ejecutar tareas o ganar dinero, sino más bien es enseñarles una forma de vida. Por esa razón, ahora cuando contrato empleados, trato de enfocarme en que tengan una fuerte ética de trabajo y lo averiguo preguntándoles por los puestos de trabajo que hayan tenido durante su vida como estudiantes de nivel medio y superior. De los empleados que he tenido, los que trabajan más duro son aquellos que tuvieron que trabajar para sostener sus estudios universitarios.

Cuando evitamos que nuestros hijos experimenten el esfuerzo y la responsabilidad, también estamos impidiendo que maduren. La ética de trabajo, la disciplina y la iniciativa no se pueden comprar con dinero, solamente se desarrollan a través del trabajo, la experiencia y la educación. Vivir a expensas de los demás es una forma de esclavitud —por ser un acto que nos despoja de la posibilidad de ser responsables y completamente libres. Si usted ayuda demasiado a sus hijos, los convertirá en individuos indefensos. No consienta a sus hijos dándoles dinero; es mejor ofrecerles educación y oportunidades. Cuesta mucho menos y hará de ellos las personas autosuficientes y productivas que usted desea.

La historia de la oruga

Cuando empecé mi primer negocio, a menudo seguía los consejos de uno de mis socios y mentores que era multimillonario. Mi negocio fue creciendo, pero aún sin lograr ver beneficios. Seguí trabajando duro, pero la situación se ponía cada vez más difícil económicamente. Decidí acudir a mi socio, buscando su apoyo para recibir un salario mensual o para que me hiciera un préstamo que me permitiera sobrevivir hasta que el negocio fuera rentable. Él se negó a darme algún tipo de ayuda. Me sentía frustrado y le dije: «Estás ganando millones al año, mientras que yo apenas puedo mantenerme en pie, luchando para sobrevivir. Por favor, ayúdame». Me miró y sentí que él estaba cerca de ceder y darme la ayuda que le pedía. Sin embargo, respondió: «Si te privara de tu esfuerzo, también te privaría de tu éxito». Y fue entonces que decidió compartir conmigo la siguiente historia:

«Había un joven que se encontró una oruga dentro de un capullo. El joven visitaba el capullo varias veces al día, esperando verla crecer y transformarse en mariposa. Después de unos días, el joven empezó a notar movimiento en el capullo y vio a la mariposa luchando por salir a través de aquel pequeño agujero. El joven quería ayudar a la oruga, así que corrió a su casa en busca de unas tijeras. Regresó y cortó con cuidado para abrir el capullo y permitir que la mariposa saliera parcialmente desarrollada. Desafortunadamente, esta oruga nunca pudo volar como una mariposa. Sin saberlo, el joven había matado inocentemente a la mariposa que estaba tratando de ayudar pues no había permitido que se desarrollara totalmente». En aquel momento este consejo no me resultó útil, pero hoy le estoy agradecido a mi sabio socio y mentor que resistió la tentación de alterar mi destino al no forzar mi salida del capullo.

Capítulo V
Tomar la iniciativa

«Todo lo que quieres en la vida está fuera
de tu zona de confort».

-Robert Allen

«El mundo recompensa con grandes premios, en dinero y reconocimientos, a cambio de una sola cosa. Tener iniciativa. ¿Qué es la iniciativa? Digamos que es hacer lo correcto sin necesidad de que nos pidan hacerlo. A quien hace una cosa bien hecha sin que nadie se lo ordene, le sigue aquel que la hace bien cuando se le ha ordenado una sola vez. Estas personas reciben reconocimientos, pero su pago no es en la misma proporción. Después están las personas que hacen las cosas solo cuando se les ha dado la orden dos veces; esta gente no recibe reconocimiento y su retribución es un pago pequeño. Después están los que hacen una cosa bien hecha, pero solo cuando la necesidad los presiona; en lugar de reconocimiento reciben indiferencia y su pago generalmente es una miseria. En lo más bajo de la escala están aquellos que no hacen nada bien hecho, incluso cuando algún compañero les dice cómo hacerlo y permanece con ellos para cerciorarse de que lo hagan; estas personas por lo general son gente desempleada y reciben como pago el desprecio que se merecen... ¿A qué clase de persona pertenece usted por su iniciativa?»[85].

Los hermanos Wright

La vida de los hermanos Wright nos proporciona numerosos ejemplos maravillosos del significado de tener iniciativa. William J. Tate, un hombre que ayudó a los hermanos Wright en el armado del primer planeador de los hermanos Wright en Carolina del Norte, escribió lo siguiente de los primeros vuelos que ellos realizaron: «La opinión de los nativos acerca de los hermanos Wright era que se trataba simplemente de un par de tontos inofensivos que desperdiciaban el tiempo en un intento inútil de hacer algo que era imposible. El principal argumento en contra de su éxito se podía escuchar en cualquier lado y lo que decían era que "Dios no tuvo el propósito que el hombre volara. Si así fuera, lo habría dotado con un par de alas sobre sus hombros"[86]».

Susan y Milton Wright fueron los padres de Wilber que nació en 1867 y Orville que nació en 1871, ambos del Medio Oeste. El interés de Orville y Wilber en volar comenzó en 1878 cuando su padre les regaló un juguete que volaba.[87] Este interés se convirtió en una obsesión a fines del siglo XIX. Wilber leía «prácticamente todo lo que caía en sus manos. Su padre tenía en su biblioteca algunos libros sencillos acerca de los vuelos en la naturaleza, y por su parte en la biblioteca pública de Dayton se podía encontrar numerosa literatura relacionada con el tema. Cuando agotó todas las lecturas locales, Wilbur escribió al Instituto Smithsoniano pidiendo más información sobre el mismo tema»[88].

En 1899 comenzaron sus experimentos de vuelo. En este entonces los hermanos Wright tenían un taller de reparación de bicicletas, cuyas ganancias las destinaron para apoyar el financiamiento del aeroplano. Durante los próximos cuatro años, los hermanos Wright realizaron miles de pruebas, experimentos y vuelos. En 1901 crearon el primer túnel aerodinámico del mundo y probaron más de 200 formas diferentes de ala,[89] y solo en los meses de septiembre y octubre de 1902 realizaron más de 700 vuelos de prueba.[90] El 17 de diciembre de 1903, Orville, de 32 años, y Wilber, de 36 años, lograron su sueño de realizar el primer vuelo impulsado y controlado por motor. El vuelo cubrió una distancia de 40 metros en 12 segundos —aproximadamente la mitad de la longitud de un jumbo 747 actual—. Este vuelo fue el comienzo de la aviación moderna.

En 1904, los hermanos Wright decidieron arriesgarse financieramente y retirarse del negocio de las bicicletas para enfocarse en el desarrollo de un aeroplano práctico que pudieran vender. Wilbur le comentó a un conocido: «Creíamos que si nos arriesgábamos a dedicar todo nuestro tiempo y recursos financieros podríamos superar las dificultades en nuestro camino hacia el éxito... Viendo que nuestro futuro financiero estaba en juego, nos vimos obligados a considerar la posibilidad de explotar nuestro invento con fines comerciales»[91]. Esto implicaba que tuvieran que hacer del aeroplano un negocio rentable para sobrevivir, pero sin poner en peligro sus valores. Los hermanos

Wright fomentaron entre sus empleados el acatamiento de las reglas familiares que prohibían «la bebida, el juego o volar los domingos»[92].

En febrero de 1908, la empresa de los hermanos Wright obtuvo un contrato del Ejército de los Estados Unidos para construir un avión de dos asientos, capaz de volar durante una hora a una velocidad promedio de 40 millas por hora y realizar aterrizajes sin daño alguno. En julio de 1909 se completó un vuelo que cumplía con los requisitos impuestos por el Ejército de los Estados Unidos, recibiendo en pago 30,000 dólares por el avión. En 1910 incorporaron en su negocio demostraciones de espectáculos aéreos e incursionaron en el transporte aéreo comercial de cargas, obteniendo ganancias de 100,000 dólares en ese año.[93]

Volar era una aventura arriesgada. Otto Lilienthal, un pionero en el vuelo cuyo trabajo ayudó e inspiró a los hermanos Wright, murió después que una ráfaga de viento alterara el balance de su planeador, provocando su caída de unos quince metros y rompiéndose la columna vertebral. Sus últimas palabras fueron: «Es necesario que haya sacrificios», y esas palabras fueron talladas en su tumba.[94] Los hermanos Wright escribieron lo siguiente de Lilienthal y otros pioneros aviadores: «Su trabajo nos contagió la flama inextinguible de su entusiasmo, y transformó la curiosidad ociosa en el celo activo del trabajo»[95].

Orville y Wilber también sufrieron accidentes. Uno ocurrió el 17 de septiembre de 1908, cuando una hélice sufrió una avería y el avión se estrelló, matando al pasajero. Orville sufrió múltiples lesiones graves, incluyendo una fractura en la pierna y costillas rotas. Debido a estos peligros y a petición de su padre, Wilber y Orville nunca volaban juntos. Sin embargo, el 25 de mayo de 1910, después de haber hecho muchas mejoras que aumentaron la seguridad del avión y por el bien de la historia, el padre accedió a que Wilber y Orville volaran juntos. Esa fue la única vez que ambos hermanos lo hicieron. Después de ese hecho, Orville realizó un vuelo en compañía de su padre de 81 años, el único vuelo de su vida, que duró 6 minutos y 55 segundos. «En un momento durante el vuelo, Milton se acercó a su hijo y le gritó... "¡Vuela más alto, Orville, más alto!"[96]».

Higher Orville, Higher!

Wilber murió de fiebre tifoidea en 1912 a los 45 años. «Veinticinco mil personas asistieron a su funeral y durante tres minutos completos los ciudadanos de Dayton dejaron de hacer sus actividades para llorar con profunda tristeza a su héroe estadounidense. Orville había perdido a su hermano, su mejor amigo, su otra mitad con quien compartió todos sus secretos y sueños de volar. Estaba devastado, pero siguió adelante»[97]. Orville continuó dirigiendo la empresa Wright por tres años más, hasta que tuvo 44 años de edad. El 15 de octubre de 1915, Orville vendió su participación en la empresa. «El periódico The New York Times informó que Orville recibió aproximadamente 1.5 millones de dólares, más un adicional de 25,000 dólares por sus servicios como jefe de ingenieros durante el primer año de funcionamiento de la nueva empresa»[98].

Dios no les dio a los hombres alas sobre sus hombros, pero les dio mentes y manos para crear. Se requirió fe, estudio, coraje, trabajo y persistencia para lograr el milagro de volar. Dos hombres con el sueño de emprender el vuelo crearon alas para que todos nosotros pudiéramos hacer realidad su sueño —esas mismas alas que Dios quería para el hombre—.

Los hermanos Wright nos inspira a preguntarnos: «¿Qué debo hacer con mi iniciativa personal para avanzar?».

Atributo 4:
La humildad

«Cuando un hombre está envuelto en sí mismo, forma un paquete muy pequeño».

–John Ruskin

Capítulo VI
La búsqueda continua de mejorar

«La verdadera nobleza está en ser superior a tu
propio yo anterior».

-Proverbio hindú

La vida es como tratar de subir una escalera eléctrica en bajada;
si usted no intensifica el paso para subir (redoblando su esfuerzo),
es inminente que retroceda en vez de avanzar. La vida no es como
la escalera de una casa en la que podemos subir hasta cierto nivel,
detenernos y mantenernos inmóviles en nuestra posición si así lo
queremos. Igual que un árbol que crece o muere, nosotros avanzamos
o retrocedemos, nunca podemos quedarnos en un punto muerto en
la vida.

Don Soderquist, vicepresidente jubilado de la junta directiva
de Wal-Mart, nos comparte esta historia: «Una noche estaba en un
banquete y tuve la oportunidad de charlar con Harry Cunningham,

exdirector ejecutivo de las tiendas K-Mart. De hecho, él fue un personaje legendario que cambió dramáticamente las ventas al detalle en los Estados Unidos a través del concepto de tiendas K-Mart y cuyo antecesor fue la antigua empresa Kresge —un modelo que estudiamos y evaluamos cuidadosamente en el desarrollo de las tiendas Wal-Mart—. Le di las gracias por lo que había hecho como pionero a través del exitoso formato de tiendas de descuento como lo conocemos hoy. Aceptó mi elogio con amabilidad, pero se apresuró a mencionar lo mucho que valoraba todo lo que había hecho Wal-Mart para fortalecer y optimizar el concepto. Él continuó diciendo: "Cometimos un grave error en el camino al no cambiar y actualizar nuestras tiendas en los últimos años. Teníamos una fórmula de éxito que estaba funcionando y no existía ninguna razón para cambiar. Ustedes, la gente de Wal-Mart, siguieron mejorando hasta que lograron posicionarse mejor de lo que lo hicimos nosotros y llegado el momento, nos superaron". La lección que me dejó esa conversación fue que el éxito puede llevar al éxito, pero también al fracaso cuando dejamos de esforzarnos por mejorar»[99].

El crecimiento y la regla 80/20

Cuando nos obligamos a rendir al máximo es cuando logramos abrir la puerta de crecimiento a un nuevo máximo. Por ejemplo, gran parte del crecimiento de la halterofilia proviene de las repeticiones finales antes de que el pesista pueda levantar más peso. Si usted pudiera levantar un peso en banco de 200 libras con un máximo de 10 repeticiones, el 80 por ciento del crecimiento muscular y aumento de fuerza sería producto de las dos últimas repeticiones y el 20 por ciento restante correspondería a las primeras ocho repeticiones. Las dos últimas repeticiones son las más difíciles, y si por un motivo se descuidan cuesta el 80 por ciento del crecimiento muscular. No se requiere el doble de esfuerzo para lograr el doble de desarrollo debido a que el esfuerzo final de la ejercitación máxima se traduce en rendimientos exponenciales.

En el trabajo, si usted simplemente trabajara 40 minutos adicionales a su jornada normal, cosa que lograría fácilmente llevando su almuerzo al trabajo y comiendo de forma rápida en la oficina en lugar de salir en su hora de comida, este ahorro de tiempo equivaldría a un mes adicional de trabajo de tiempo completo cada año. 40 minutos al día solo representa un aumento del 8 por ciento de las horas trabajadas (basado en una jornada de 8 horas), pero su repercusión podría traducirse exponencialmente en el doble de la remuneración que normalmente recibe.

Conclusión

El gran entrenador de fútbol estadounidense, Vince Lombardi, recomendaba: «Busque constantemente maneras innovadoras de llevar a cabo todo lo que se necesite hacer. Si una persona con esta cualidad continúa la aplicación positiva de este factor negativo, esa persona asumirá un papel de liderazgo. Transformar lo insatisfactorio en satisfactorio o mejor es la marca del liderazgo. Nunca se sienta satisfecho con menos del alto rendimiento, y el progreso será la recompensa». Cada vez que logre una meta, pregúntese cómo puede hacerlo mejor, cómo puede mejorar lo que ha logrado. «Nunca se sienta satisfecho con las cosas como están o con logros pasados.

Alcanzar una meta no es más que una simple señal para fijar una más alta; la fijación de objetivos se determina en pequeños incrementos para que las personas nunca se desanimen: al mismo tiempo, nunca están satisfechas permanentemente»[100].

El capitán James Cook, explorador inglés del siglo XVIII, demostró su espíritu de excelencia cuando se refirió a sus viajes de descubrimiento diciendo: «Yo no solo ambicionaba ir más lejos de lo que ningún hombre había ido hasta entonces, sino además tan lejos como fuera posible ir». La vida debería ser una búsqueda interminable de querer mejorar.

CAPÍTULO VII
MUESTRE DISPOSICIÓN PARA APRENDER

«Escucha el consejo, acepta la corrección y
llegarás a ser sensato».

–Proverbios 19:20

La parte más débil de cada persona emerge cuando él o ella
cree saberlo todo. Al respecto, el gran entrenador de baloncesto,
John Wooden, decía: «Lo que realmente cuenta es lo que se aprende
después de que creemos que lo sabemos todo». Aquellos que son
educables y continuamente tratan de mejorar y crecer, raramente
contraen la enfermedad del orgullo.

Benjamin Franklin decía: «Una inversión en conocimientos
siempre paga el mejor interés»[101]. La educación y el transporte son
medios que nos llevan a nuestro destino. Con los años, el transporte
ha pasado del caballo y el carruaje a los trenes, automóviles y aviones.
Cada nuevo medio de transporte nos ha permitido llegar a nuestro

destino en un período de tiempo más corto. En la década de 1800 tomaba meses poder cruzar las llanuras al oeste. Hoy en día, con mejores medios, podemos hacer el mismo viaje en cuestión de horas.

La educación también es una herramienta que puede acelerar su camino hacia la independencia financiera y la prosperidad. Estudios han revelado que aquellas personas con un alto nivel económico pasan un tiempo considerable cada mes educándose financieramente.[102] Los estudios también demuestran que hay una correlación directa entre la cantidad de tiempo dedicado a la educación financiera y el patrimonio neto. Cuanto más se aprende, más dinero se gana.

Son tres las fuentes a las que acudo para educarme financieramente:

1. Leer libros sobre el tema
2. Asistir a seminarios
3. Escuchar programas de audio

Leer libros

«La lectura es para la mente lo que el ejercicio es para el cuerpo: con el ejercicio, conservamos la salud, la fortalecemos y vigorizamos; con la mente mantenemos viva, acariciamos y reafirmamos la virtud (que es la salud de la mente)»[103]. «Cuando leemos libros excelentes y que nos hacen reflexionar, nos enriquecemos en todas las fases de la vida. En resumen, la lectura tiene el poder de transformarnos de lo que somos en este momento a lo que podríamos ser en el futuro»[104].

La lectura es un atajo hacia el éxito. El filósofo griego, Sócrates, decía: «Emplea tu tiempo en mejorarte a ti mismo mediante los escritos de otros para obtener con facilidad lo que otros han trabajado duro para obtener»[105]. Un libro ofrece una poderosa manera de aprender en pocas horas lo que otros aprendieron en toda una vida.

Planifique tiempo cada día para leer libros positivos e inspiradores. El estadounidense promedio ve televisión 4 horas y 45 minutos al día y solamente lee libros 18 minutos diariamente.[106] A medida que lea más libros sobre temas positivos, inspiradores y financieros, verá un aumento en su nivel de ingresos. Las bibliotecas de todo el mundo están repletas de conocimiento gratuito accesible para todos, pero desafortunadamente «el hombre que no lee buenos libros no tiene ventaja sobre el hombre que no le gusta leer»[107].

Asistir a seminarios

Además de la lectura, me gusta asistir a seminarios y talleres especializados en ayudarnos a alcanzar nuestros sueños. Robert Kiyosaki, autor de *Padre Rico, Padre Pobre*, escribió: «Me gusta asistir a seminarios. Disfruto cuando duran por lo menos dos días porque me gusta sumergirme en un tema específico. En 1973, mientras veía televisión, salió un tipo anunciando un seminario con duración de tres días y muy económico acerca de saber comprar bienes raíces... Ese curso me ha hecho ganar por lo menos 2 millones de dólares, si no más. Pero lo más importante es que me permitió disfrutar de una mejor vida. Ya no tengo que trabajar por el resto de mi vida gracias a ese curso. Asisto por lo menos a dos de estos cursos todos los años»[108].

Escuchar programas de audio

El promedio nacional de viajar diariamente al trabajo es de 24 minutos. ¿Cómo pasa el tiempo en su vehículo durante el trayecto?

¿Por qué no utilizar ese tiempo que ocupa en manejar su carro en aprender los principios que lo conducirán a triunfar en todas las facetas de su vida? Hay programas de audio y audiolibros con una variedad inimaginable de temas por aprender. Si usted desea aumentar su nivel de ingresos, una excelente opción es dedicar su tiempo de trayecto al trabajo a escuchar temas educativos en lugar de dedicárselo al entretenimiento.

Para empezar, verifique los audiolibros que tenga en existencia su biblioteca local y utilice esta forma de educación mientras viaja en carro al trabajo, durante vuelos de avión o incluso en su iPod mientras hace ejercicio. Mucha gente se preocupa por saber cuántas canciones caben en un iPod. Yo prefiero averiguar cuántos libros de audio pueden caber.

«Los analfabetos del siglo XXI no serán aquellos que no pueden leer y escribir, sino aquellos que no sean capaces de aprender, olvidar lo que aprendieron y volver a aprender»[109].

El costo del orgullo

Durante la Guerra franco-india, el general británico Edward Braddock, en ese entonces de 60 años de edad, solicitó el apoyo de la milicia de Virginia. Cuando un joven soldado de la milicia de tan solo 23 años ofreció un modesto consejo, gracias a que estaba familiarizado con la forma de pelear del ejército indio, el arrogante Braddock le respondió: «¡Es inaudito! ¡Que un mozalbete soldado estadounidense pretenda enseñarle a un general británico cómo pelear!»[110]. Braddock hizo caso omiso del consejo y los británicos sufrieron una desastrosa derrota en la que el general fue herido por un disparo que penetró en su pulmón a través de su brazo derecho. Tras la lesión del general Braddock, ese mismo joven soldado estadounidense, sin posición oficial en la cadena de mando, fue capaz de conducir y mantener el orden de las filas en la retaguardia, lo que les permitió evacuar y finalmente hacer la retirada sin más bajas. Esto le valió al joven soldado el título de «Héroe de Monongahela». El general Braddock fue sacado del campo de batalla por George Washington, quien era ese mismo soldado cuyo consejo había rechazado. Braddock murió el 13 de julio de 1755, cuatro días después de la batalla. Antes de morir, Braddock le entregó a Washington el cinturón de su uniforme manchado de sangre. Washington lo llevó puesto por el resto de su vida. Tal vez usaba el cinturón como recordatorio del alto costo que había tenido aquel desplante de orgullo del general y de la necesidad de ser humildes y dispuestos a escuchar para triunfar en la lucha. De Braddock haber escuchado el consejo del joven George Washington, quizás pudo haber vivido muchos años más.

George Washington era educable y cada día pasaba tiempo leyendo. Durante su vida, Washington acumuló una biblioteca de más de 700 libros, que en su mayoría los estudió con profundidad. Nelly Custis, nietastra de Washington, le contó a uno de los primeros biógrafos de su abuelastro que: «Washington tenía la diaria costumbre de internarse en su biblioteca, donde permanecía una hora antes de irse a su habitación. Él siempre se levantaba antes del amanecer, y permanecía en su biblioteca hasta que lo llamaban a desayunar».

Capítulo VIII
Sea humilde

«La humildad es la virtud más difícil de alcanzar;
nada se resiste más a morir que el deseo
de hablar bien de uno mismo».

-T. S. Eliot

Una persona que es humilde es receptiva a las enseñanzas, intenta hacer lo mejor posible, es autosuficiente, le impulsa su misión de vida y es agradecida. Según las palabras del poeta bengalí, Rabindranath Tagore: «Estamos más cerca de la grandeza cuando somos grandes en humildad».

Una persona humilde es aquella que se interesa genuinamente en lo que otros dicen. Es la persona que sabe que no tiene todas las respuestas y continuamente trata de aprender de las ideas y experiencias de los demás — «se acerca a ellos con la mente abierta y total disposición para aprender»[111]. La humildad significa escuchar más de lo que se habla. La persona humilde no le gusta hablar de sus logros y, cuando tiene que hablar de ellos, acostumbra a agradecerle a «Dios por haberlo logrado» o agradecerles a los demás «porque entre todos se alcanzó la meta». La humildad significa reconocer y agradecer el trabajo, la ayuda y el apoyo de los demás y de Dios. Anteponer el ego en público no es la manera de construir una organización eficaz. Una persona que trata de triunfar no logra mucho con esa actitud.

La persona humilde tiene la visión de darse cuenta de que la vida no es una competencia. No se preocupa por su desempeño en relación con los demás, sino en centrarse en que todo lo que haga sea lo mejor posible. La persona humilde es cooperadora y le gusta motivar a los otros a salir adelante. Celebra el éxito de los demás y se ama a sí mismo —con respecto a su autoestima, lejos de cualquier vanidad—; por ello no se considera más inteligente y mejor que otra persona. Su lema es que la vida no es una competencia con los demás, sino consigo mismo —para dejar tras de sí su mejor huella personal en su transitar por la vida—.

Para la persona humilde, su valor y respeto nacen de su propio interior. La autosuficiencia es su fuente de valor y respeto. El humilde busca las bondades de la vida para disfrutarlas sin preocuparse por lo que los demás piensen o digan de él. Son personas que valoran la libertad y la independencia y no se someten a la esclavitud de los juicios humanos. Para la gente humilde, los viajes del ego son desvíos que alejan a la persona de la ruta correcta hacia el éxito verdadero.

Las personas humildes son impulsadas por una misión precisa de ayudar a los demás. Su éxito financiero es un subproducto de su misión de ayudar a sus semejantes. A la gente orgullosa la impulsa el

CAMERON C. TAYLOR

dinero. Su éxito financiero no es un subproducto de su misión; sino su única misión.

Lecciones de humildad en la vida de Sam Walton

En 1962, Sam Walton abrió la primera tienda Wal-Mart a la edad de 44 años en Rogers, Arkansas. Cinco años más tarde, en 1967, Wal-Mart ya tenía 24 tiendas con ventas de más de 1 millón de dólares mensuales. En 1975, Wal-Mart había crecido hasta tener 125 tiendas y ventas por casi 1 millón de dólares por día. En 1979, Wal-Mart tenía 276 tiendas y más de 100 millones de dólares mensuales en ventas, convirtiéndose en la empresa más rápida en la historia en alcanzar mil millones de dólares en ventas anuales. Actualmente Wal-Mart vende mil millones de dólares por día. En el 2005, las ventas de Wal-Mart fueron de 312 mil millones de dólares a través de 6,200 tiendas, 1.6 millones de empleados y más de 138 millones de clientes que visitan las tiendas semanalmente.[112]

Aunque su fama, poder y patrimonio neto creció con los años,[113] Sam Walton siguió siendo el mismo: un hombre humilde enfocado en ayudar a los demás. Él «vivió una vida decente... y era un hombre cuyo apretón de manos te hacía sentir que podías confiar en él»[114]. Sam Walton vio la oportunidad de bendecir la vida de las personas en los pueblos pequeños de todo Estados Unidos que estaban siendo ignorados por las grandes cadenas de ventas minoristas. Fue impulsado por su misión «de proporcionar mejores condiciones de compra para habitantes de pequeños pueblos. Quería mejorar el nivel de vida de estas personas, proporcionándoles productos de calidad a precios bajos en un entorno agradable de compra»[115]. Hacia el final de su vida, dijo: «Mi principal objetivo fue concentrarme todo el tiempo en la construcción de la mejor empresa de ventas minoristas. Esa fue mi prioridad. La creación de una enorme fortuna personal nunca fue una de mis metas»[116].

«A pesar de ser un hombre multimillonario, no era posible distinguirlo en la calle. Conducía una vieja camioneta y vivía en una humilde casa en Bentonville[117], cuyo precio era accesible para cualquier trabajador promedio»[118] y por si fuera poco, compraba muchas de sus ropas en Wal-Mart. «Bernard Marcus, presidente y cofundador de Home Depot, recuerda una anécdota cuando salió a almorzar con Walton después de una reunión en Bentonville: "Me subí a la camioneta roja de Sam. Me llamó la atención que no tenía aire acondicionado y sus asientos estaban manchados de café. Para cuando llegué al restaurante, mi camisa estaba empapada hasta la médula. Así era Sam Walton —sin ningún aire de arrogancia y sin la más mínima intención de querer impresionar a los demás—"»[119].

Un ejecutivo de Frito-Lay que se unió a Wal-Mart compartió esta historia: «Después de haberme integrado a la empresa, recuerdo una ocasión en que vi a Sam dirigiéndose hacia el baño de los empleados —el mismo baño que utilizaban todos los demás trabajadores—... y la razón es que el multimillonario Sam Walton no disponía de un baño privado ejecutivo para su uso exclusivo. Utilizaba las mismas instalaciones a las que todo el mundo tenía acceso. Algo totalmente distinto que contrastaba con los ejecutivos que había conocido en Frito-Lay, quienes disfrutaban de una zona privada de estacionamiento subterráneo, baño privado y un comedor exclusivo para ejecutivos»[120].

Don Soderquist, vicepresidente jubilado de la junta directiva de Wal-Mart, compartió la siguiente experiencia que tuvo con Sam Walton durante la inauguración de una de las tiendas: «Como la mayoría de las grandes inauguraciones, esperábamos una gran multitud, pero en este evento era tal la multitud que no nos dábamos abasto para atender la enorme cantidad de clientes. No pasó mucho tiempo para que Sam se pusiera en acción y comenzara a llenar bolsas de mercancía. Al mismo tiempo repartía caramelos a los niños e hizo todo lo que estuvo a su alcance para ayudar a que los clientes se sintieran más cómodos, mientras esperaban en las largas filas para pagar... Confieso que como expresidente de una empresa de una cadena de ventas minoristas a nivel nacional y ahora como vicepresidente ejecutivo de Wal-Mart, nunca había proporcionado servicio a clientes en forma directa como lo hice ese día. Era lo menos que podía hacer después de ver a mi jefe dándome el ejemplo. Sam era un hombre muy humilde, y ese día me enseñó una valiosa lección. Ninguno de nosotros es demasiado importante para no ser capaces de realizar humildes tareas. De hecho, no hay puestos de trabajo que sean pequeños. Si a Sam que era el presidente de la junta directiva no le importó repartir dulces y llenar bolsas con mercancía —a mí tampoco—. No importa lo exitoso que lleguemos a ser, Sam siempre nos recordaba que no éramos superiores a los demás y que nunca deberíamos cegarnos por la arrogancia»[121].

Sam Walton evaluaba a los empleados de Wal-Mart y se tomaba tiempo para escucharlos y aprender de ellos. Durante sus 30 años como director ejecutivo de Wal-Mart, tenía la norma de que cualquier empleado podía ponerse en contacto con él directamente para sugerencias, ideas o abordar problemas. En varias ocasiones, Sam les llevaba donas a sus empleados y platicaba con ellos durante sus descansos. Él acostumbraba a aprender de los demás. En su biografía, menciona «que probablemente haya sido la persona que más oficinas matrices de tiendas de descuento haya visitado jamás. Simplemente me aparecía y decía: "Hola, soy Sam Walton de Bentonville, Arkansas. Tenemos algunas tiendas por ahí, y me gustaría intercambiar puntos de vista con la gente responsable de este negocio". A veces aceptaban, otras veces no, pero al final me dejaban entrar, tal vez por curiosidad, y entonces aprovechaba para hacer infinidad de preguntas acerca de la fijación de precios, sus canales de distribución y muchas cosas más. Aprendí mucho de esa manera»[122].

Sam continuamente trataba de mejorar la calidad del servicio de Wal-Mart para la satisfacción de clientes y empleados. Él escribió: «Siempre he sido alguien concentrado en que las cosas funcionen bien y vayan mejorando, hasta lograr los más óptimos niveles posibles... Nunca fui partidario de los planes de corto plazo. Mi preocupación fue construir la mejor organización posible de ventas minoristas»[123].

Después de que la empresa hizo una oferta pública de acciones en 1970, Sam implementó un plan de reparto de utilidades pagadero en acciones de Wal-Mart para todos los empleados. Como resultado, muchos gerentes y empleados se retiraron de Wal-Mart siendo millonarios. Sam Walton amaba a cada uno de sus empleados, a los que calificaba de socios y los trataba como familia.

El 5 de abril de 1992, a los 74 años, Sam Walton murió de cáncer. «La noticia fue transmitida vía satélite directamente a las 1,960 tiendas de la empresa. Cuando el anuncio se hizo público a través del equipo de sonido de algunas tiendas, los vendedores no pudieron evitar las lágrimas»[124]. Un ejecutivo de una tienda de la competencia dijo de Sam Walton: «La forma en que vivió su vida me hizo reflexionar que no hay mejor sermón que ser un ejemplo de vida»[125].

ATRIBUTO 5:
LA HONESTIDAD

«La confianza es el pegamento de la vida».

Capítulo IX
La integridad
reditúa dividendos

«La calidad suprema para el liderazgo es, sin duda, la integridad. Sin ella, ningún éxito real es posible».

-Dwight D. Eisenhower

En los últimos años, hemos visto los efectos devastadores de líderes de negocios deshonestos en Enron, WorldCom, Xerox, Qwest, Tyco, ImClone, Andersen y otras empresas más. Son líderes que fraudulentamente obtuvieron beneficios a corto plazo, pero al final lo perdieron todo y varios de ellos terminaron en prisión. «Cuando usted trama un plan y se confabula para obtener un provecho ilícito en su beneficio personal, podrá engañar a la gente por un tiempo y sacar provecho de ello, pero al final no podrá evitar el castigo divino. La persona honesta quizás denota una apariencia estricta de inflexibilidad y rectitud, pero al final esa persona recibe su recompensa mediante bendiciones»[126].

La honestidad es la clave para el éxito a largo plazo. «Un negocio sin integridad siempre es penalizado en el mercado. Cuando los productos de una empresa no se ajustan a las exigencias de sus anunciantes o cuando la calidad del producto no es consistente, la pérdida de clientes ante los competidores es una realidad. En estas circunstancias los empleados calificados, frustrados con las políticas internas, prefieren irse para otros trabajos. Lo contrario ocurre cuando una empresa es reconocida por su integridad pues se beneficia de una mayor demanda de sus productos, una mayor clientela y la lealtad de sus empleados»[127]. «Parte de la genialidad de un sistema de libre mercado abierto es que la integridad paga recompensas. Al final, los clientes, empleados y accionistas se ven atraídos por empresas con un liderazgo estable —identificadas por su credibilidad e integridad—»[128].

¿En qué momento el éxito se convierte en fracaso?

El éxito es un fracaso cuando se utilizan medios no éticos en la búsqueda de beneficios. Según Gandhi, uno de los siete pecados que destruyen la sociedad es «hacer negocios sin ética». Esto representa un fin moral (hacer negocios) que se logra por un medio inmoral. La inmoralidad significa corromper un objetivo digno mediante un logro deshonroso. No se puede lograr un fin moral por medios inmorales. Las metas financieras nunca justifican medios inmorales.

El hijo de un ejecutivo de negocios compartió esta historia: «Yo crecí dentro de un ambiente totalmente de negocios. Mi padre trabajaba como director ejecutivo de uno de los hombres más ricos del mundo, Howard Hughes, y ese simple hecho ponía muchas vidas patas arriba. Fui testigo de primera mano de la codicia, el engaño, las luchas de poder y la destrucción de muchas vidas que ocasiona la ambición del dinero. Pero quizás lo que más influyó en mi persona fue lo que llegué a ver en el mismo Sr. Hughes. Durante muchos años, la Nochebuena o el Domingo de Pascua eran fechas especiales que no tenían la misma importancia para ese ilustre personaje que para el resto de la gente. El Sr. Hughes invitaba a mi padre a su casa. Cuando mi padre llegaba, el señor Hughes simplemente decía: "Bill, yo solo quería platicar contigo". Luego, después de un par de horas de charla amistosa, decía: "¡Es Navidad! Lo mejor será que regreses con tu familia". Y recuerdo que pensaba para mis adentros: "¿Cómo es posible que él con todo el dinero, el poder, los logros e incluso todo el bien que ha hecho, sea un hombre tan solitario y rodeado de soledad?"»[129].

Un querido amigo mío y también socio, G. Kent Mangelson, compartió conmigo lo siguiente: «Después de casi treinta años en el ámbito financiero y de haberme asociado con miles de personas ricas, logré formarme una firme opinión sobre la gente y el dinero. Cuando un individuo no establece claramente sus valores y metas personales antes de fijar sus metas financieras, entonces su misma riqueza y su afán de acumular más fortuna comienzan a adquirir vida propia. Sin valores claramente establecidos para mantener la dirección correcta al enfocarse en las metas, el dinero tiende a distraer a la persona y gradualmente la aleja de todo aquello que era prioridad en su vida. Tristemente, y con demasiada frecuencia, cuando ya es demasiado tarde para reparar el daño, la persona se da cuenta de que ha perdido las cosas más valiosas de su vida y que ni con todo el dinero del mundo podrá recuperarlas ni reemplazarlas».

«En la obra de teatro de Arthur Miller, *Todos eran mis hijos*, un hijo descubre que su padre hace trampas en el mundo de los negocios. Al confrontarlo, su padre le responde: "Hijo, todo el mundo lo hace. Se tiene que hacer trampas para triunfar". El hijo responde: "Lo sé, papá, pero yo pensé que eras mejor que los demás"[130]».

Aunque falsear cifras, usar tácticas engañosas, beneficiarse de productos deshonestos y explotar empleados puede ser el estándar de muchas empresas, también existe una minoría que prefiere evitar esos esquemas y optan por seguir principios de moral y honestidad en sus asuntos de negocios. Nuestro reto es ser parte de esa minoría. El mundo de los negocios está lleno de engaño y deshonestidad, evitemos que ese patrón de comportamiento empeore y mejor optemos por ser ejemplo de integridad en nuestro trabajo.

Jon M. Huntsman - Un multimillonario con rectitud

Jon M. Huntsman nació en 1937 en la pequeña ciudad de Blackfoot, Idaho. Sus padres fueron un profesor de música y una ama de casa. Después de cursar estudios medios superiores, Huntsman se matriculó en la Escuela Wharton de Finanzas en la Universidad de Pensilvania. En 1961, Huntsman, de 24 años, se graduó y comenzó a trabajar como vendedor para una empresa de producción de huevos, y más tarde fue asignado a un equipo dedicado a desarrollar contenedores de cartón para huevos. En 1967, Jon Huntsman, para entonces de 30 años, fue nombrado presidente de Dolco Packaging, una empresa conjunta entre una productora de huevos y Dow Chemical. En 1970, Huntsman dejó Dolco para iniciar su propio negocio, Huntsman Container, con su hermano Blaine en Fullerton, California.

En 1971 y 1972, Huntsman trabajó como asistente especial del presidente Richard Nixon. Huntsman describe una atmósfera que exigía lealtad ciega a Nixon. Huntsman relató la siguiente experiencia: «En una ocasión el jefe de gabinete de la Casa Blanca, H.R. Haldeman, me pidió un favor para "ayudar" al presidente. Después de todo, estábamos allí para servir al presidente. El favor consistía en investigar a cierto congresista que alardeaba de extrema rectitud y que estaba cuestionando a un candidato del presidente Nixon para ocupar la Dirección de la Agencia Central de Inteligencia. Se decía que había pruebas de que este congresista contrataba trabajadores indocumentados en su empresa de California. Haldeman me pidió que le echara un vistazo a la fábrica para ver si el informe era cierto. Casualmente la empresa estaba ubicada cerca de mi propia planta manufacturera en Fullerton, California, así que decidí telefonear al gerente de mi planta para que me aportara datos... La información que se buscaba comprobar, por supuesto, pondría en aprietos al adversario político... Hay momentos en que reaccionamos casi de inmediato para juzgar lo que es correcto o incorrecto, sin detenernos a reflexionar al respecto. Esta fue una de esas veces. Le tomó unos 15 minutos a mi brújula moral interior indicarme que lo que estaba a punto de hacer no era lo correcto... A mitad de la conversación, me detuve y le dije al gerente: "Espera un minuto, Jim. No hagamos esto. No quiero ser parte de este juego. Olvida que te llamé"... Le informé a Haldeman que definitivamente no utilizaría a mis empleados para espiar o hacer algo parecido. Era increíble que me rehusara a una orden del segundo hombre más poderoso de América. Él no apreciaba respuestas como esas. Lo consideraba un signo de deslealtad. Yo estaba consciente de que con mi negativa quizás me estaba despidiendo de mi cargo actual. Y así fue, ya que seis meses después del incidente tuve que dejar mi puesto... Fui el único miembro del personal del Ala Oeste de la Casa Blanca que al final no fui llevado ante el Gran Jurado por el caso Watergate»[131].

En 1974, Huntsman Container inventó el famoso envase para la hamburguesa Big Mac de McDonalds. Huntsman Container fue pionera en más de 80 productos innovadores de envasado. En 1976, Huntsman vendió Huntsman Container por 8 millones de dólares. Como parte del acuerdo, Huntsman acordó seguir en el cargo de director ejecutivo por cuatro años más.

En 1982 formó la Huntsman Chemical Corporation. Huntsman nos comparte su historia de los primeros años de la corporación: «Para salir adelante en los primeros años del inicio de las operaciones, fue necesario... vender una parte de nuestra empresa. Encontré un comprador apropiado y negocié con él un precio de venta... Estuve de acuerdo en venderle una participación del 40 por ciento de nuestro negocio a un precio fijo. En los siguientes meses se produjo mucha demora de parte del comprador para cerrar el acuerdo. Durante el proceso... nuestra actividad comercial se cuadruplicó y nuestras ganancias aumentaron cinco veces hasta el punto que cuando llegó el momento de firmar el documento, el valor, en lugar de ser 53 millones de dólares ya era de 250 millones de dólares. El presidente de la empresa dijo: "Jon, tienes ante ti una decisión muy importante que tomar. Puedes aprovechar tus ganancias que son cuantiosas y que nadie lo puede impedir porque no existe ningún acuerdo firmado aún o puedes respetar el compromiso inicial de compra- venta"... Sin vacilar di un paso adelante y, mientras le estrechaba la mano, le dije: "Sr. Campan, hicimos un compromiso. El precio será de 53 millones de dólares. Eso es lo que acordamos hace seis meses". Debo decirles que a lo largo de los últimos doce o quince años en muchas ocasiones me he preguntado: "¿Por qué deje escapar 200 millones de dólares?". Eso es una fortuna, una fortuna gigantesca. Y dejé que se fuera de mis manos. Sin embargo, por otro lado me digo para mis adentros: "Mis hijos están en el negocio. Ellos conocen muy bien a su padre y entienden lo que significa empeñar la palabra. Independientemente de la cantidad que haya sido, el principio sigue siendo el mismo. Un trato es un trato. Un apretón de manos es un apretón de manos. La integridad es la integridad"[132]».

Huntsman es un hombre de palabra y poderoso negociador que nunca se aprovecha de los demás y que siempre trata de que los acuerdos sean mutuamente beneficiosos para ambas partes en el logro de sus objetivos. Huntsman se dio cuenta de que negociar y crear acuerdos de esta manera es lo que se debe hacer porque da lugar a generar confianza para más acuerdos posteriores. Huntsman compartió este ejemplo: «En 1999, yo estaba en duras negociaciones con Charles Miller Smith, en ese entonces presidente y director ejecutivo de la empresa química Imperial Chemical Industries de Gran Bretaña, una de las empresas más grandes de esa nación. Queríamos adquirir algunas de las divisiones químicas de esa corporación. Era la mayor negociación de mi vida pues se trataba de una fusión que duplicaría el tamaño de Huntsman Corp. Durante las prolongadas negociaciones, la esposa de Charles estaba pasando por el difícil trance de un cáncer terminal... Cuando su esposa murió, él estaba angustiado, como era lógico imaginar. Todavía no concluíamos las negociaciones. Estábamos en los últimos detalles cuando decidí que el último 20 por ciento del acuerdo se quedara firme como ellos lo habían propuesto. Probablemente de haber insistido podía haberme beneficiado de otros 200 millones de dólares del acuerdo, pero habría sido a expensas del estado emocional de Charles. De cualquier manera el arreglo acordado era lo suficientemente bueno. Ambas partes salimos ganando, y al final conseguí un amigo para toda la vida»[133].

Huntsman fue el primer estadounidense en tener una participación mayoritaria en una empresa de la antigua Unión Soviética. Fundó una empresa de cajas para ayudar a esta economía emergente. «Inicialmente el gobierno soviético le ordenó a la empresa pagar una cierta tasa de impuestos por las cajas que vendiera a los clientes rusos y una tasa mucho más baja en la reventa de sus productos a las antiguas repúblicas. Después de que la empresa comenzó sus operaciones de producción, un inspector de impuestos llegó a informarle a la empresa que se había incrementado el impuesto a pagar por ventas a las antiguas repúblicas —lo que provocaría que la empresa dejara de ser rentable—. Sin embargo, el funcionario dijo que un arreglo económico con él podría solucionar el problema sin afectarles en absoluto. En la política de Jon Huntsman la palabra soborno nunca ha existido, ni existirá jamás. Por lo que decidió vender la fábrica a una administradora local a cambio de 1 dólar antes que pagar un soborno. Prefirió perder sus millones de dólares invertidos antes que comprometer su integridad por ahorrar unos dólares»[134].

El principal valor de Huntsman Corporation es: «Creer en los estándares éticos y morales porque son la base de las buenas políticas de los negocios, y por lo tanto la base para operar con integridad»[135]. En el año 2005, Huntsman Corporation operaba en 24 países con 15,000 empleados e ingresos de 13 mil millones de dólares. Huntsman es un ejemplo vivo de que «los chicos buenos de verdad pueden terminar en primer lugar en la vida»[136].

ATRIBUTO 6:
EL OPTIMISMO

«El optimismo es la fe que conduce al logro».

-HELEN KELLER

Capítulo X
Soluciones o excusas

«El mundo se mueve tan rápido en estos días
que el hombre que dice que no se puede hacer
algo generalmente es interrumpido por
alguien que lo está haciendo».

-Elbert Hubbard

Muchas personas se condicionan mentalmente a ser incompetentes. Los estudios han revelado que dentro de los primeros dieciocho años de nuestras vidas, a la persona promedio se le dice «no» más de 148,000 veces.[137] Constantemente nuestros padres, amigos, maestros, compañeros de trabajo y hasta por la televisión nos dicen lo que no podemos hacer. Esta limitación provoca que muchos de nosotros desarrollemos solo una pequeña parte de nuestro potencial. Cuando nos condicionamos de esta manera, a menudo creemos que no podemos ser exitosos y preferimos no intentarlo siquiera. Y si nos atrevemos a intentarlo, nuestra expectativa es de antemano el fracaso. Esto trae como consecuencia un enfoque pesimista de la vida. El pesimista siempre va por la vida expresando la imposibilidad de hacer las cosas, en lugar de preguntar cómo hacerlas.

Para erradicar el pesimismo en cada uno de nosotros tenemos que transformar nuestro enfoque de la vida, buscando soluciones en lugar de excusas. Es muy común escuchar a la gente decir: «No se puede hacer». En lugar de buscar pretextos, deberíamos concentrarnos en encontrar soluciones y preguntar: «¿Cómo puedo hacerlo?». En lugar de decir «Es complicado hacerlo» o «Es imposible», mejor digamos «Lo puedo hacer» y «Es posible hacerlo». Este pequeño cambio de actitud produce grandes resultados.

La silla de masaje

Me había reunido con uno de mis socios y mentores financieros. En ese entonces, ambos éramos fundadores y presidentes de empresas multimillonarias. Durante nuestra reunión, dos repartidores llegaron con una silla de masaje para la oficina de mi mentor, que estaba ubicada en el último piso. El único acceso era una estrecha escalera que conectaba de ida y vuelta hasta la puerta de la oficina. Después de algunos minutos de calcular el espacio, los dos repartidores regresaron para avisarle a mi mentor que la silla no cabría en la oficina. Su respuesta fue inmediata y contundente: «Busquen la forma de que pueda caber». El repartidor respondió que habían hecho las mediciones y que eso no sería posible. Mi mentor dijo de nuevo: «Busquen la forma de que pueda caber», y proseguimos con nuestra reunión. Los repartidores hicieron un nuevo intento. Pasaron algunos minutos y una vez más regresaron diciendo: «No hay manera de que la silla quepa en su oficina. Es imposible».

Mi mentor me miró y me preguntó: «¿Por favor, podrías poner la silla en mi oficina?». Le contesté: «Desde luego», y me dispuse a hacerlo. Los repartidores no eran de mucha ayuda. Cuando comencé a estudiar las opciones para subir la silla por las escaleras y meterla en la oficina, me volvieron a decir: «La silla no cabe, ya lo intentamos dos veces». Entonces tomé las medidas y los repartidores reaccionaron diciéndome: «Nosotros ya medimos. Es imposible».

Calculé que si quitábamos la puerta y los marcos podríamos meter la silla en ángulo recto con muy poco margen de maniobra, pero con el espacio justo para que la silla cupiera por la puerta. Los repartidores insistieron en que no se podría porque estorbarían los bordes de las escaleras para conseguir el ángulo requerido. Les dije que era posible, pero se requeriría de cuatro personas para maniobrar. Les pregunté si me ayudarían. Se negaron, diciendo: «No va a caber, y en el intento va a dañar la silla. Si quiere intentarlo, hágalo por su cuenta y riesgo». Las oficinas de mi empresa estaban ubicadas cerca de donde estábamos, así que llamé a mi empresa y solicité tres empleados para que me ayudaran a mover la silla. Una vez que llegaron, comenzamos a maniobrar por las escaleras. Mientras trabajábamos, los repartidores miraban y murmuraban uno al otro que nunca lo lograríamos. En un par de minutos logramos subir la silla, meterla por el acceso y ponerla en el interior de la oficina. Habíamos hecho lo imposible, y lo habíamos conseguido sin dañar la silla o las paredes.

Les di las gracias a mis tres empleados y regresé a la reunión. Entré en la oficina de mi mentor y le dije: «La silla de masaje ya está instalada en tu oficina». Él respondió: «De esto que acaba de ocurrir podemos aprender una valiosa lección. Los repartidores inventaron pretextos, lo que tú hiciste fue inventar soluciones. Me dijeron que era imposible. Y tú dijiste: "Claro que es posible hacerlo". Entonces él me miró a los ojos y dijo: "Esa es la razón por la que ellos ganan 8 dólares la hora mientras que tú serás un millonario"».

Winston Churchill – El optimista valiente

«El 10 de mayo de 1940, Winston Churchill, de sesenta y seis años, se convirtió en primer ministro de Inglaterra. Ocurrió justo cuando la poderosa fuerza aérea alemana realizaba bombardeos ininterrumpidos las 24 horas del día sobre Inglaterra. Nadie sabía si los británicos serían capaces de resistir una semana o un mes más»[138]. «El panorama era desolador. Los nazis estaban aniquilando a Francia, Bélgica y Holanda. Joseph P. Kennedy, el embajador estadounidense en Londres, dijo a Washington que Gran Bretaña estaba devastada»[139].

En medio de la oscuridad y la confusión, y ante una situación que para muchos parecía imposible de poder componer, Churchill asumió el cargo con optimismo y determinación. El día que asumió el cargo, Churchill escribió: «Me sentía como si estuviera caminando con el destino y que toda mi vida anterior no hubiera sido sino una preparación para este momento y esta prueba... y yo estaba seguro de que no debería fallar»[140].

«La clave del valor de Churchill era su ilimitado optimismo. Solo un optimista puede ser valiente porque el valor nos aferra a la esperanza de poder superar los peligros y los riesgos... "Yo soy uno de esos —comentó en 1910— que creen que el mundo va a ser cada vez mejor". Él despreciaba el pensamiento negativo. En un discurso a sus oficiales en las trincheras de Francia en 1916, Churchill los exhortó: "Ríanse un poco, y enseñen a sus hombres a reír... Si no pueden reír, sonrían. Si no pueden sonreír, manténganse fuera del camino hasta que puedan"[141]».

El 13 de mayo de 1940, Churchill pronunció su primer discurso como primer ministro ante la Cámara de los Comunes. Él dijo: «Me preguntan cuál es nuestro objetivo. Puedo contestar con una palabra. Es la victoria. La victoria a toda costa... la victoria a pesar de todos los terrores, la victoria, sin importar lo largo y duro que pueda ser el camino, y con toda la fortaleza que Dios nos pueda dar... Asumo mi compromiso con ánimo y esperanza, y estoy seguro de que nuestra causa no fracasará»[142].

«La mañana después de la primera noche del Blitz, Churchill se dirigió a la zona cero: la zona este de Londres y los muelles. Un refugio antiaéreo había recibido un impacto directo, con docenas de muertos y muchos heridos. El carro de Churchill se detuvo en medio del caos. "¡Qué bueno que vino!", gritó la multitud... Cuando llamó a la multitud, preguntando si estaban descorazonados, le respondieron: "¡No!". Churchill había llegado... para inyectarle al pueblo la determinación que necesitarían para afrontar los próximos meses y años»[143].

«Churchill no permitía planes de contingencia para el fracaso porque sabía que invariablemente alimentaban el pesimismo. Apenas unas semanas después de convertirse en primer ministro en 1940, Churchill fue informado de un plan de emergencia a implementar en caso de una invasión alemana a gran escala en la Gran Bretaña. La familia real y altos miembros del gobierno serían evacuados a Canadá. Churchill vetó rotundamente la propuesta y añadió: "Los haremos lamentar su suerte el día que intenten invadir nuestra isla"[144]».

«Durante la última semana de octubre de 1940... las bajas civiles a causa de los bombardeos superaban los seis mil muertos al mes. En bombardeos ininterrumpidos de 24 horas por día setecientos aviones alemanes atacaron la Gran Bretaña... El genio de Churchill buscaba la forma de encontrar la manera de difundir esa mala noticia, mientras encontraba esperanza en lo que otros podrían ver como una derrota... En octubre de 1940, después de las devastadoras incursiones aéreas, Churchill pronunció un discurso destacando el hecho de que las ciudades "se levantarían de sus ruinas" y las casas serían reconstruidas... Cada vez que los nazis hundían barcos de suministro vitales, Churchill estaba allí para señalar que muchos cientos de barcos habían logrado salir ilesos»[145].

Incluso durante los peores momentos, Churchill se mostró optimista y seguro de que iban a conseguir la victoria. Durante una emisión de la cadena BBC de Londres, Churchill proclamó: «Estamos decididos a destruir a Hitler y todo vestigio del régimen nazi. De este objetivo no nos apartará nada. Nunca dialogaremos ni negociaremos con Hitler o cualquiera de su ejército. Lo combatiremos por tierra, por mar o por aire, hasta que, con la ayuda de Dios, logremos liberar a la tierra de su sombra»[146].

«Churchill no solo veía motivos para tener esperanza y confianza en los días más oscuros de la Segunda Guerra Mundial, sino que fue capaz de infundir estoicismo y optimismo en la columna vertebral de la nación, en las fuerzas armadas y en su propio personal. Como dijera Leo Amery, ministro en el gobierno de Churchill: "Nunca nadie salió de su gabinete sin sentirse un hombre valiente"... Los grandes líderes sacan esa fuerza interior que la gente a menudo no sabe que la poseen»[147].

El 8 de mayo de 1945 Churchill envió un mensaje a la nación, anunciando que Alemania había firmado el acto de rendición incondicional. Churchill declaró: «Por lo tanto, la guerra de Alemania ha llegado a su fin... por parte de esta isla y de nuestros aliados, mantuvimos la lucha en solitario durante todo un año hasta que se nos unió el poder militar de la Rusia soviética y de los Estados Unidos de América... Al final, casi todo el mundo se unió contra los enemigos que ahora están postrados ante nosotros... Ahora dediquemos todas nuestras fuerzas y recursos a concluir nuestra tarea, tanto en casa como en el extranjero... ¡Larga vida a la causa de la libertad!... Demos gracias con humildad y reverencia a Dios Todopoderoso por nuestra liberación de la amenaza de la dominación alemana»[148].

La determinación de Churchill a nunca rendirse y su optimismo de que lograría la victoria le permitieron a su país luchar con audacia y valentía a través de enormes dificultades, sin olvidar también el apoyo de otros países a la causa para salir victoriosos.

Churchill murió el 24 de enero de 1965. Más de 300,000 personas desfilaron por su ataúd y millones presenciaron su funeral a través de la televisión, honrando así al hombre que ayudó a cambiar el curso de la historia. «Las acciones de Churchill fueron fundamentales en uno de los momentos más dramáticos y cruciales de la civilización... Él sabía que si lograba reunir la mente, el espíritu y el corazón del pueblo británico, saldrían victoriosos al final... Churchill no solo salvó a Gran Bretaña de la derrota, sino que ahora visto en retrospectiva, también salvó la democracia como forma de gobierno en el mundo. Fue un gran personaje cuya vida marcó una profunda diferencia en todos los habitantes de nuestro planeta»[149].

Capítulo XI
Motive a los demás

«El liderazgo es la capacidad de hacer que el bien opere
en la vida de los demás».

- Sterling Sill

Los vi derribando un edificio,

A un grupo de hombres en una gran ciudad,

Con un poderoso golpe y un vigoroso grito,

Lanzaban el golpe y una pared cayó.

Le pregunté al capataz: «¿Son diestros estos hombres?

¿Son la clase de hombres que contrataría, si quisiera
construir?»

Me sonrió diciéndome: «La verdad que no,

Mano de obra sin pericia es todo lo que necesito.

Porque puedo derribar en un día o dos

Lo que a los constructores les llevó años levantar».

Me pregunté a mí mismo, mientras continuaba mi camino,

«¿Cuál de estos roles he tratado de cumplir?

¿Soy un constructor con regla y escuadra,

Midiendo y construyendo con destreza y cuidado?

¿O soy un destructor que anda por la ciudad,

Feliz de destruir?»

-Autor desconocido

Los grandes triunfadores saben motivar e inspirar a los que les rodean. Nuestras palabras y acciones pueden levantar o destruir a los demás. La motivación a los demás es lo que caracteriza a los grandes triunfadores.

Los estudios revelan que llevarse bien con las personas e influir en ellas contribuye en gran medida a lograr el éxito. Teddy Roosevelt dijo: «El ingrediente más importante de la fórmula del éxito es saber cómo llevarse bien con la gente» y en el libro de Dale Carnegie, *Cómo ganar amigos e influir sobre las personas*, el autor escribe: «Investigaciones realizadas revelan que incluso en áreas técnicas como la ingeniería, alrededor del 15 por ciento del éxito financiero se debe al conocimiento técnico y el 85 por ciento restante se debe a la habilidad en lo que se conoce como ingeniería social —la cual no es otra cosa que la habilidad para relacionarse con los demás—». Continúa: «Se puede contratar servicios por un salario fijo enfocándonos simplemente en los aspectos técnicos de ingenieros, contadores, arquitectos o cualquier otro profesional. Pero el hombre que dispone de conocimientos técnicos, más la habilidad de expresar sus ideas para asumir la dirección y despertar entusiasmo entre los demás —esa persona tiene posibilidades de aumentar indefinidamente sus ingresos—». En el apogeo de su actividad, John D. Rockefeller dijo que la capacidad de tratar con la gente es como una mercancía adquirible como el azúcar o el café. "Y pagaré más por esa capacidad —dijo Rockefeller— que por cualquier otra bajo el sol"»[150].

Los siguientes son los 15 principios que le ayudarán motivar a los demás:

1. Ofrezca felicitaciones sinceras

Las personas necesitan y les agrada que las feliciten. Los elogios producen excelentes resultados porque motivan a la gente a realizar su mejor esfuerzo. Incluso cuando la gente comete errores, es bueno destacar los aspectos que hayan hecho bien y felicitarlos por ese hecho. Desafortunadamente, la tendencia natural es reprenderlos por lo que hayan hecho mal, y eso solo propicia una menor motivación y bajo rendimiento. Estimular y elogiar constituye un recurso mucho más eficaz que la crítica destructiva. Siempre busque oportunidades para felicitar a los demás.

2. Sonría

Las acciones dicen más que las palabras, y sonreír nos dice: «Me agradas. Me haces sentir bien. Estoy feliz de verte». La gente que sonríe motiva y enseña con mayor eficacia.

3. Recuerde nombres

Recordar el nombre de una persona y llamar a la gente siempre por su nombre es un elogio sutil y muy eficaz. Olvidar el nombre o confundirlo puede llevar a situaciones embarazosas e incomodas. Tómese el tiempo y haga el esfuerzo de memorizar los nombres de cada persona con la que se relaciona. Cuando alguien le dice su nombre, asegúrese de que usted oyó correctamente. Luego, memorícelo, repitiéndolo mentalmente, asociándolo con algo, y cuando sea posible, anotándolo para no olvidarlo.[151]

4. Valorar las diferencias

Para tener éxito con la gente usted debe valorar las diferencias mentales, emocionales y psicológicas que existen entre las personas. La clave para valorar las diferencias es darse cuenta de que la gente no ve el mundo tal como es, sino como lo ven ellos. Para que una persona sea realmente eficaz al interactuar con la gente, debe tener la humildad de reconocer sus propias limitaciones perceptivas y apreciar las cualidades de los demás a través de su interacción con los corazones y las mentes de esas personas. Cada quien tiene su propia percepción y comprensión de la realidad. ¿Cree usted que sea posible que dos personas no estén de acuerdo y ambas estén en lo cierto? Sí. Por ejemplo, en una sala la temperatura puede ser de 70 grados y una persona dirá que hace frío, mientras que otra dirá que hace calor. ¿Realmente hace calor o hace frío en la sala? ¿Cuál de las dos personas tiene razón? ¿Una de ellas tiene razón y la otra no? Lo cierto es que ambas están tienen razón desde su perspectiva. Sería tonto que el individuo que tiene calor le dijera a la persona que tiene frío que está equivocada o que no sabe lo que dice. Hasta que valoremos las diferencias en nuestras percepciones y demos crédito a la posibilidad de que ambos tenemos razón, tendremos problemas en nuestras relaciones.

5. Evite el chismorreo

Existe la mala costumbre en la gente de emitir juicios negativos y fomentar chismes que dañan la imagen de los demás. No sea parte de ese mal hábito. Si dice cosas negativas sobre personas que no están presentes en ese momento, lo que hace es enviarles un mensaje a los que están presentes de que usted les haría lo mismo. La mejor manera de ganar el respeto y lealtad de los que están presentes es serles respetuoso y leal a los que están ausentes.

Cuando sea ineludible ejercer una crítica constructiva sobre cierta persona, hágalo en privado con la única intención de querer ayudarla. No la corrija frente a los demás. Si es inevitable hacer esta crítica, no olvide mencionar las cosas que esa persona hace bien, destaque sus atributos y hable de los propios errores que usted comete antes de pretender corregir a otros.

6. Si lo ofenden, tome la iniciativa

A menudo, cuando nos sentimos agraviados, nuestra tendencia es esperar a que el ofensor nos ofrezca una disculpa o al menos reconozca que nos agravió. Si la disculpa no llega, la ofensa crece y la amargura y el resentimiento se dispersan en nuestras almas como si fuera veneno. Es entonces cuando la relación se tensa y la amargura invade nuestro corazón. Nelson Mandela decía: «El resentimiento es como beber veneno y luego tener la esperanza que mate a tus enemigos». Muchas veces, si usted toma la iniciativa de aclarar las cosas, el problema se puede resolver rápidamente.

7. Devuelva con una buena acción la maldad que reciba

Tenemos la tendencia natural de tratar a los demás como nos tratan a nosotros. Hacer el bien cuando nos tratan bien y hacer el mal cuando nos tratan mal es lo que se conoce como la ley de la reciprocidad, y su efecto se refleja en la mejora o el deterioro de una relación. Por ejemplo, cuando alguien lo agravia, usted responde por naturaleza de la misma forma y esto le da continuidad a la ofensa, alternándose y acrecentándose la actitud agresiva de la otra persona hacia usted y viceversa. El resultado final es una relación muy perjudicial y destructiva.

La ley de la reciprocidad también puede trabajar en dirección positiva. Por ejemplo, si usted le ofrece bondad, cariño y amor a una persona, ella responderá de igual manera. El respeto y cariño entre ambos crece de forma natural por el efecto directo de asumir esa actitud positiva. Este efecto cíclico incrementa cada vez más la bondad y el cariño entre los dos, traduciéndose en una relación más significativa y afectiva. «El odio no se remedia con más odio, sino con amor»[152].

8. Acepte a las personas como son

No se puede amar a las personas plenamente hasta que las aceptamos como realmente son. Esta aceptación no significa que estemos de acuerdo con el comportamiento que demuestren, sino que nuestro amor por ellos no está supeditado a factores de comportamiento o carácter. A medida que aumentamos nuestra capacidad de aceptar a la gente por lo que son y genuinamente comunicarles esta aceptación, aumentaremos el amor por esas personas.

9. Dígale a sus semejantes «¡Te quiero!»

Cuando genuinamente le expresamos de forma verbal a otra persona «¡Te quiero!», se genera una reacción emocional de corazón a corazón que mueve a ambos a darse cuenta de que el amor existe. El acto se consume cuando la persona responde honestamente, diciendo: «Yo también te quiero». Aumentamos nuestra capacidad de amar mediante la expresión verbal.

10. Servir a los demás

Cuando usted ayuda a otras personas a lograr sus metas, usted también alcanza sus propios objetivos. Aprenda a ser servicial, y aprenderá a triunfar. Cierta vez, una madre de familia con varios hijos estaba cumpliendo años. Uno a uno, los hijos comenzaron a felicitar a su madre entregándole cada uno su respectivo regalo. Cuando llegó el turno del hijo más joven, le entregó a su madre una bandeja de plata de regalo. Comenzó a acercarse a ella con su regalo cuando se dio cuenta de que la bandeja estaba vacía. Entonces lo que hizo fue colocar la bandeja delante de su madre y se paró sobre ella, diciendo: «Aquí tienes el mejor regalo que te puedo dar». Haga lo mismo, regálese a los demás y no dude que será el mejor obsequio que pueda dar.

11. Escuche y sea claro al comunicar

Nuestros sentimientos y pensamientos se sustentan en la forma en que percibimos las situaciones, por esa razón es importante asegurarnos de que entendemos correctamente la situación antes de actuar. A menudo, cuando llegamos a entender la situación, nuestra perspectiva de lo que sentimos y pensamos cambia por completo.

La siguiente historia describe los problemas de comunicación o malos entendidos entre una dama inglesa y un director de escuela que ayuda a ilustrar este punto. Según el relato, la dama buscaba un lugar en Suiza para mudarse y para tal efecto busca la ayuda de un maestro de una escuela local de la aldea. Cuando finalmente encuentra el lugar más conveniente, la señora regresa a Londres por su equipaje. Sin embargo, estando en Londres y al repasar detalle por detalle la casa elegida, de pronto recuerda no haber visto ningún «water closet» (cuarto de baño). Dado lo prácticos que son los ingleses, ella decide escribirle al maestro preguntándole al respecto. Al leer la misiva, el maestro se desconcierta con las iniciales «W.C.», sin imaginar, por supuesto, que ella se refería a un cuarto de baño. Finalmente, el maestro pide la ayuda del pastor de la iglesia local, quien erróneamente deduce que las siglas W.C. se refieren a la iglesia Wesleyana (**W**esleyan **C**hurch). Y bajo ese argumento el maestro le escribe a la dama la siguiente respuesta:

> Estimada señora,
> Tengo el agrado de indicarle que el lugar al que usted se refiere queda a solo 14 km. de la casa que eligió, justo en medio de una hermosa arboleda. Tiene capacidad de albergar 350 personas a la vez y está abierto al público los martes, jueves y domingos de

cada semana. Mucha gente tiene la costumbre de acudir a este sitio durante el verano, por lo que es recomendable llegar temprano para conseguir un buen lugar en la larga fila de espera. Algunas personas disfrutan llevando su propia comida y permanecen allí todo el día, especialmente los martes cuando se ofrece acompañamiento musical con música de órgano. La acústica es excelente y se puede oír hasta el más mínimo sonido.

Tal vez le interese saber que mi hija se casó precisamente en nuestro W.C. y fue allí donde conoció a su esposo. Espero verla pronto por ese sitio y nos pueda acompañar en nuestro bazar que se celebrará en próximas fechas. Lo que se recaude se destinará a la compra de asientos de felpa porque debido a su prolongado uso los asientos actuales ya presentan agujeros en ellos. Mi esposa es muy delicada y esa es la razón por la que no asiste regularmente. Han pasado seis meses desde la última vez que fue. Naturalmente, le duele mucho no poder ir más a menudo. Concluyo la presente expresándole mi más ferviente deseo de poder recibirla en este bello sitio con la distinción que se merece y estaré encantado de apartarle un lugar justo enfrente o cerca de la puerta, lo que usted prefiera.

- Director de la escuela

A medida que cambia nuestro entendimiento de una situación, también cambia el mensaje que deseamos comunicar.

La necesidad de entendimiento

¿Qué cree que pasaría si en este instante se extrajera todo el aire de la habitación en la que está en este momento? ¿Qué sucedería con su interés en este libro? El aire es una necesidad física fundamental y hasta que se satisfaga esa necesidad usted no estará interesado en otra cosa. Sin embargo, una vez que esa necesidad queda satisfecha, sus intereses pueden centrarse en otras cosas. ¿Cuál es el equivalente emocional y psicológico del aire? Es la necesidad de que nos comprendan. ¿Por qué? Porque cuando se logra entender a otra persona, se satisfacen muchas de las necesidades humanas básicas. Cuando usted entiende a una persona, la acepta. Cuando usted escucha atentamente para entender a una persona, usted le está diciendo: «Eres importante y te aprecio. Eres una persona a la que vale la pena escuchar; una persona que valoro y me importa demasiado».

Se realizó un estudio para ver lo que la gente deseaba de su pareja potencial. El entendimiento fue el la característica número uno deseada por las mujeres y la característica número dos deseada por los hombres. Si desea comunicarse eficazmente con alguien, primero debe entenderlo. ¿Cómo lograrlo? Escuchando a esa persona. «Quien responde o interrumpe antes de oír, comete una ofensa y oprobio»[153]. Con solo aprender a escuchar, desaparecen muchos de sus problemas con la gente y sus relaciones se fortalecen en gran medida. Como dijera una vez Gandhi: «Tres cuartas partes de las miserias y malos entendidos en el mundo terminarían si las personas se pusieran en los zapatos de sus adversarios y entendieran su punto de vista».

12. Inspire el trabajo en equipo

Napoleón Hill dijo: «No existe ningún registro de alguien que alguna vez haya aportado una gran contribución a la civilización sin la cooperación de los demás»[154]. El entusiasmo es fundamental para inspirar el trabajo en equipo. El entusiasmo es contagioso. «Contagie a los demás con su entusiasmo y el trabajo en equipo será inevitable»[155].

13. Vea a los demás con ojos de fe

No trate a las personas desde el punto de vista de su comportamiento, sino más bien desde su potencial —en cuanto a lo que sean capaces de llegar a ser—. Goethe lo expresó así: «Trata a un hombre tal como es, y seguirá siendo como él es; trátalo como puede y debe ser, y se convertirá en lo que puede y debe ser».

14. Muestre disposición para aprender

«Si trabajamos asumiendo que no tenemos todas las respuestas o ideas, nos permitimos valorar los diferentes puntos de vista, juicios y experiencias que otros puedan traer. Cuando nos acercamos a los demás con la mente abierta y estamos dispuestos a aprender, aprendemos que la clave de la influencia es dejarnos influenciar primero»[156].

15. Abrace

«Abrazar es saludable. Ayuda al sistema inmunológico, cura

la depresión, reduce el estrés y produce el sueño. Es tonificante, rejuvenecedor y no tiene efectos secundarios desagradables. El abrazo es nada menos que una droga milagrosa. El abrazo es un recurso infrautilizado que tiene poderes mágicos»[157].

ATRIBUTO 7:
LA VISIÓN

«Si todos nosotros hiciéramos las cosas que somos capaces de hacer, nos asombraríamos de nosotros mismos».

-THOMAS EDISON

Capítulo XII
Escriba sus metas

«Nunca se es demasiado viejo para establecer otro objetivo o soñar un nuevo sueño».

-C.S. Lewis

Hay un gran poder en las metas y los sueños. «Se realizó un estudio en la clase de graduación de la Universidad de Yale. Se les entregó a los estudiantes del último año una larga lista de preguntas personales y tres preguntas adicionales relacionadas con sus metas. Estas tres preguntas eran: "¿Acostumbra establecer metas?", "¿Las escribe?", y "¿Tiene un plan de acción para llevarlas a cabo?". Solo el tres por ciento de la clase contestó afirmativamente a las preguntas. Veinte años más tarde, se llevó a cabo un estudio de seguimiento. Resultó que el tres por ciento que había respondido a las preguntas afirmativamente 20 años atrás, eran en la actualidad profesionales felizmente casados, triunfadores en las carreras que habían elegido, con una vida familiar satisfactoria, y gozaban de excelente salud. ¡Y lo más importante, el estudio reveló que el noventa y siete por ciento del patrimonio neto actual de esa generación de graduados estaba en manos de ese tres por ciento!»[158].

Se debe tener sueños y metas para avanzar y alcanzar la grandeza. «Su avance hacia el éxito comienza con una pregunta fundamental: "¿A dónde quiero llegar?". La definición de objetivos es el punto de partida de todo logro, y su ausencia es la piedra en la que tropiezan noventa y ocho de cada cien personas a causa de nunca definir metas, ni trabajar en hacerlas realidad. Analice a cada persona que haya visto que ha logrado un éxito duradero y descubrirá que la razón radica en que esas personas se han ocupado en tener un propósito definido en la vida. Cada una de ellas tenía un plan para alcanzar sus metas, y todas ellas dedicaron la mayor parte de sus pensamientos y esfuerzos a tal fin»[159].

Mucha gente vive la vida al revés. Solamente toman lo que la vida les da. Muchas personas logran poco en la vida, simplemente porque nunca se deciden a lograr algo. Mark Victor Hansen escribió: «Me duele ver a las personas desperdiciar sus vidas, solo por haber sido negligentes en el proceso de escribir sus metas personales». «A la mayoría de nosotros nos gustaría tener un impacto positivo en las vidas de los demás y en nuestro mundo. Cuando sentimos que esto de alguna manera no ocurre, tendemos a experimentar una sensación de vacío, baja autoestima, incompetencia e incluso depresión»[160]. El entrenador de fútbol, Lou Holtz, dijo: «Si usted está aburrido con la vida, si no se levanta cada mañana con un ardiente deseo de hacer las cosas —es porque no tiene suficientes metas—».

Todo el mundo nace con una misión encomendada por Dios que debemos cumplir. No fuimos enviados a la tierra por Dios solo para nacer, pagar las cuentas y morir. Dios nos envió aquí con un propósito. Usted debe definir su ideal de vida y luego salir a conseguirlo. Los sueños y metas nos inspiran a desarrollar todo nuestro potencial. La definición de sus metas y sueños le ayudará a descubrir y vivir una vida de alegría, con objetivos cumplidos, y abundante en satisfacciones.

La meta del millón de dólares

«El mayor peligro para la mayoría de nosotros no radica en establecer objetivos demasiado altos y fracasar pronto, sino establecer objetivos demasiado bajos, y lograrlos».

–Miguel Ángel

A fines del año 2000, mi primer negocio había fracasado, dejándome deudas de negocios de miles de dólares. Yo estaba recién casado y no tenía ingresos. Mi esposa trabajaba ganando 10 dólares por hora, pero sus ingresos ni siquiera eran suficientes para cubrir los 1,800 dólares que teníamos que pagar de deuda cada mes. Ahora bromeo con ella diciéndole que solo se había casado conmigo por mi dinero, pero lo cierto es que yo estaba en bancarrota por la carga de las deudas que me agobiaban. Me vi obligado a posponer mis proyectos empresariales y comencé a buscar empleo. Me gradué con honores en una escuela de negocios y apliqué para decenas de puestos de trabajo que parecían ser buenas oportunidades y encajaban con mis habilidades, experiencia y preparación, pero a cambio solo recibía cartas que rechazaban mi solicitud. Incluso solicité empleo en un centro telefónico de atención a clientes en donde era fácil ser contratado por 6 dólares la hora, y también fui rechazado.

Con todo lo que me sucedía, ahora hasta bromeo con la gente, diciendo: «Tuve que poner mi propio negocio porque yo era la única persona que me contrataría». En el 2001 comencé un nuevo negocio y una de mis metas era tener ingresos de 1 millón de dólares al año. De momento parecía un objetivo imposible de alcanzar, pero yo sabía que fijarme una meta era el punto de partida. Sabía que de no fijarme la meta de hacer 1 millón de dólares en mi negocio, entonces nunca sabría cómo hacerlo. Empecé a trabajar en mi objetivo y todos los días me ocupaba en hacer que la empresa se moviera lentamente hacia el logro de esa meta. La empresa creció y se desarrolló, y en nuestro segundo año de operaciones el negocio alcanzó la meta trazada de generar un millón de ingresos anuales. Cuando logré mi objetivo, me fijé un nuevo objetivo de ganar el millón de dólares pero ahora mensualmente, y nuevamente me puse a trabajar arduamente en llevar a la empresa hacia esta meta. Fue difícil, y tomó otro año de duro trabajo poder lograrlo.

Había llegado el momento de establecer una nueva meta. Ahora el desafío era ganar 1 millón de dólares al día. Solo pensar en esa posibilidad era divertido y emocionante, así que nuevamente nos preparamos para llegar a esa cifra. El objetivo parecía inalcanzable, pero nuestro reto era encontrar la manera de lograrlo.

Pasar de 1 millón de dólares de ingresos anuales a 1 millón de dólares mensuales nos permitió ampliar nuestra capacidad instalada para generar más ingresos. Lograr el objetivo de ganar 1 millón de dólares diarios requería nuevos enfoques y modelos; con el modelo actual con el que estábamos trabajando no era suficiente para aspirar a que el objetivo se hiciera realidad.

Nuestra primera oportunidad de llegar a la cifra deseada se presentó en el otoño del 2004 en la ciudad de Nueva York. Parecía que todas las piezas estaban en su lugar para alcanzar la meta de 1 millón de dólares al día. Desafortunadamente, para cuando el día terminó, ni siquiera estábamos cerca de nuestro objetivo. Solo habíamos obtenido ingresos de 177,555 dólares. De todas formas, los números seguían siendo magníficos y eso nos tenía contentos. Aprendimos mucho y pudimos ver el potencial de poder alcanzar la cifra anhelada, pero antes necesitábamos realizar algunos cambios y ajustes convenientes.

La siguiente oportunidad de alcanzar nuestra meta se presentó en la primavera del 2005 en Los Ángeles. Nuevamente, todo encajaba para que ese día llegáramos a la meta, ¿sería que en esta ocasión sí pudiéramos lograrlo? El día llegó y concluyó sin que aparentemente una vez más pudiéramos alcanzar la meta. Pero al final los resultados fueron sumamente alentadores. Habíamos superado nuestra cifra añorada por más de 1,700,000 dólares —obteniendo un resultado de ingresos de 2.7 millones ese día—.

La magnitud de su pregunta y la magnitud de sus metas y sueños es lo que determina el tamaño de su respuesta. Si nunca me hubiese planteado la pregunta: «¿Cómo podría generar ingresos de 1 millón de dólares en un solo día?», nunca hubiese encontrado la respuesta.

Si usted nunca se plantea las preguntas: «¿Cómo puedo construir un negocio multimillonario?», «¿Cómo puedo convertirme en un autor de superventas?», o «¿Cómo puedo ganar una cierta cantidad de dinero en un año?», entonces nunca encontrará las respuestas. Los objetivos que establece es lo que determina el tipo de vida que usted construye.

Cuando usted construye una casa, ¿la casa ya construida es igual a los planos en los que basó su edificación? Por supuesto que sí. Si diseña una casa para ocupar 1,000 pies cuadrados, la casa ocupará 1,000 pies cuadrados cuando termine. Antes de construir una casa, primero se pregunta: «¿Qué tipo de casa me gustaría tener?». Luego diseña la vivienda, crea un plan y finalmente se ejecuta la obra de construcción. Debemos utilizar ese mismo proceso en nuestras vidas. Pregúntese: «¿Qué clase de vida quiero?, y ¿Qué quiero lograr?». Una vez que haya determinado las respuestas, dispóngase a crear su plan de vida y apéguese a ese plan hasta que logre construir la vida que usted desea.

Walt Disney – El líder visionario

> «De todas las cosas que he hecho, la más vital es coordinar a los que trabajan conmigo y conducir sus esfuerzos a un objetivo».
>
> –Walt Disney

Walt Disney nació en Chicago en 1901. En su juventud, él descubrió y se enamoró del dibujo y las películas. En 1920, a los

18 años, Walt formó junto con el dibujante Ub Iwerks la empresa Iwerks - Disney Commercial Artists. La empresa fracasó rápidamente y esto obligó a Walt e Iwerks a trabajar como ilustradores en la Kansas City Slide Company, donde aprendieron los principios básicos de la animación. En esta empresa, Walt comenzó a crear cortometrajes de dibujos animados por las noches. En 1922, Walt fundó su propia empresa Laugh-O-Gram Films, Inc., con 15,000 dólares aportados por inversionistas. Laugh-O-Gram produjo varios cortometrajes incluyendo *Caperucita Roja*, *El gato con botas*, y *La Cenicienta*, pero sufría para sobrevivir financieramente. Durante esta época, Walt enfrentaba problemas financieros; no tenía dinero ni para pagar un alquiler, por lo que «dormía en rollos de tela y cojines en la oficina... y se alimentaba comiendo frijoles fríos enlatados... Su situación era tan precaria que solo se bañaba una vez a la semana en la Union Station»[161]. En 1923, la empresa se declaró en bancarrota y Disney decidió dejar Kansas City y emigrar a Hollywood. Para pagar su boleto de tren a Los Ángeles, Walt reunió dinero tocando de puerta en puerta en zonas de altos ingresos, ofreciendo servicios de grabación para los niños de las familias. En su camino a Los Ángeles, un compañero de viaje le preguntó a Walt a dónde iba y él respondió: «Voy a Hollywood a dirigir grandes películas»[162]. Él sabía lo que quería.

Cuando llegó a Los Ángeles, Walt vivió con su tío Robert y comenzó a visitar los estudios de Hollywood en busca de algún trabajo como director. Aplicó prácticamente en cada estudio de la ciudad, pero sin ningún éxito. Sin ninguna posibilidad de conseguir empleo, Walt, entonces de 22 años, les pidió dinero prestado a su tío Robert y otros amigos para iniciar, en compañía de su hermano Roy, su propio estudio al que llamaron Disney Brothers Studio. El estudio recibió un contrato para producir una serie de dibujos animados bajo el título de *Alicia en el país de las maravillas*. En esta historia, una chica humana y de nombre Alicia tiene aventuras en un mundo animado con un gato llamado Julius. La serie fue todo un éxito y el estudio produjo docenas de dibujos animados de la serie. En 1926, Walt y Roy cambiaron el nombre del estudio y le pusieron Walt Disney Studios. Roy dijo sobre el cambio de nombre: «Fue mi idea. Walt era el creativo del equipo, y merecía que los estudios llevaran su nombre»[163].

De 1926 a 1933, los Walt Disney Studios ya contaban con varias creaciones exitosas como *Oswald el conejo afortunado, Mickey Mouse*, y *Los tres cerditos*. «En algún momento a mediados de 1933, justo en el momento en el que disfrutaba del enorme éxito de *Los tres cerditos*, Walt decide trazar un nuevo rumbo para los Estudios —buscando algo grande y trascendente—»[164]. «Walt dijo: "Con lo que estábamos haciendo en ese entonces era difícil llegar a alguna parte, teníamos que ir más allá de los cortometrajes. Yo sabía que si podía romper los formatos de corta duración, se me abriría la posibilidad de trascender con mi trabajo"... Siempre que Walt hablaba de hacer un largometraje de dibujos animados, la gente respondía: "Un dibujo animado es diversión durante siete minutos, pero nadie va a sentarse a ver una serie de caricaturas de noventa minutos". Walt no pudo evitar preguntarse: "¿Podría la gente disfrutar de una película de dibujos animados de larga duración si incluyéramos drama, acción y risas?"[165]. Walt Disney tuvo como objetivo hacer algo innovador que nunca antes se hubiese hecho en la industria del cine: crear una película de largometraje de dibujos animados»[166].

Una noche, en 1934, Walt reunió a sus 40 mejores técnicos en animación y les contó la historia de *Blanca Nieves y los siete enanos* ejecutando las voces y acciones de cada uno de los personajes. Al final de su actuación, les dijo: «Este será nuestro primer largometraje»[167].

Roy, que era el responsable de manejar las finanzas de la empresa, estimó que la creación de *Blanca Nieves* costaría 500,000 dólares. Cuando la gente de la industria se enteró de que Walt estaba creando una película de dibujos animados, predijeron que sería el final de los Walt Disney Studios; a este proyecto lo llamaron «la locura de Disney». Incluso, Lilly, la esposa de Walt, y su hermano Roy «trataron de disuadir a Walt de seguir adelante con su sueño, pero cuando vieron que estaba totalmente comprometido con su proyecto, prefirieron darse por vencidos. Una vez que Walt tomaba una decisión, nadie podía hacerlo cambiar de opinión»[168]. «La Walt Disney Company siempre fue innovadora, estimulando el progreso a lo largo de su historia a través de arriesgadas decisiones y audacia en sus compromisos y proyectos»[169].

Los Walt Disney Studios comenzaron a trabajar en el proyecto que tomaría 3 años y un costo de 1.5 millones de dólares. Walt pasaba incontables horas en una estrecha sala de proyecciones situada debajo de una escalera. La habitación fue apodada «el baño sauna» porque (como Walt dijera): «No había aire acondicionado y el calor era infernal en su interior —además, los animadores también tenían que soportar la temperatura extrema cuando ingresaban al cuarto para trabajar conmigo—»[170].

Meses antes de la fecha de lanzamiento de *Blanca Nieves*, Walt y

Roy se habían quedado sin recursos económicos. *Blanca Nieves* ya les había costado un millón de dólares y se requería medio millón más para completar el proyecto. Este elevado costo hizo que la película fuera más cara que cualquier otro filme hasta entonces producido.

Los artistas que colaboraban en el proyecto sentían que eran parte de algo novedoso e innovador, por lo que no tuvieron reparo en sacrificar noches y fines de semana para completar el filme. Mientras tanto, Walt reunió todo el material que se había hecho hasta ese momento con el fin de mostrárselo al jefe de préstamos del Banco de América, Joe Rosenberg, y conseguir su autorización de un préstamo de 500,000 dólares para concluir la película. A Joe Rosenberg le gustó lo que vio y le autorizó a Walt el préstamo solicitado.

«Walt pasó las últimas semanas de producción editando la película y recortándola hasta donde fue posible para hacer el filme más rápido y dinámico. Las cifras finales, una vez concluido el proyecto de *Blanca Nieves*, eran impresionantes. Se habían empleado más de 750 artistas de animación. Y de un estimado de dos millones de dibujos creados, solo aparecieron en pantalla 250,000»[171].

Blanca Nieves y los siete enanos se estrenó en el Carthay Circle Theatre con una capacidad de 1,500 asientos en Los Ángeles, el 21 de diciembre de 1937. Los invitados fueron recibidos grandiosamente por anfitriones ataviados con los trajes de los personajes de los siete enanos. Entre los invitados figuraban docenas de grandes estrellas de Hollywood que llegaron en limusinas. En los alrededores del teatro instalaron una réplica de tamaño natural de la cabaña de los enanos, un molino con una cascada, y de fondo el paisaje de un bosque. Una orquesta ejecutaba melodías de la película mientras múltiples reflectores inundaban el cielo con su presencia. Durante 83 minutos, la audiencia atestiguó la incursión del arte del entretenimiento en una nueva faceta. El público estalló en aplausos espontáneos a lo largo de la película, y al concluir la exhibición Walt recibió una ovación de pie de todos los asistentes.

En su versión inicial, *Blanca Nieves* ganó 8.5 millones de dólares. Esto le permitió a Disney Studios solventar sus cuantiosas deudas y también construir un nuevo estudio de 3.8 millones de dólares en Burbank, que hoy en día sigue siendo el centro de animación de Disney.

Blanca Nieves pasó de ser «la locura de Disney» para convertirse en la película más taquillera de todos los tiempos y, con tan solo 36 años, Walt Disney ya había hecho historia. La película ha sido reeditada en varias ocasiones desde su primer lanzamiento en 1937 y hasta la fecha ha ganado más de 782 millones de dólares.[172]

A lo largo de su vida, el personaje de Walt se puso a prueba muchas veces, pero él perseveró hasta superar todos los obstáculos. Su determinación también fue puesta a prueba cuando se propuso construir un parque temático de diversiones, Disneylandia. Walt quería crear el «lugar más feliz de la tierra». «Él creía que al posibilitar que la gente interactuara con "cosas fantásticas", podría proporcionarles alas a su imaginación para elevarse y alcanzar alturas increíbles. Walt imaginaba numerosas multitudes asistiendo a Disneylandia en búsqueda de la felicidad que tanto anhelaban, y luego toda esa gente saliendo del parque para contagiar de felicidad a todo el mundo»[173].

«Una vez más, la visión de Walt Disney para los negocios lo puso un paso delante de todos sus colegas de Hollywood. Tuvo dificultades para encontrar patrocinadores en el proyecto que inicialmente tuvo un costo presupuestado de 5 millones de dólares y que finalmente costara 17 millones de dólares»[174]. «Debido a que Walt ya no contaba con el apoyo de su hermano Roy y de otros accionistas principales en los Walt Disney Studios, tomó la decisión de crear una nueva empresa llamada Walt Disney, Inc. Esta nueva empresa sería responsable de planificar y construir el parque de Disneylandia. Walt invirtió los ahorros de toda su vida en el proyecto, vendió activos y pidió dinero prestado por todas partes con tal de construir el parque. En 1954, Walt compró 160 hectáreas de naranjos en Anaheim, California, por 800,000 dólares, previendo que ese sería el futuro sitio donde se construiría Disneylandia»[175].

John Hench, empleado durante 65 años de la Walt Disney Company, comentó: «"Mientras planeábamos la construcción de Disneylandia, platicábamos con operadores de parques de diversiones que nos advertían que nuestro proyecto sería un fracaso. Y extrañamente, Walt salía de esas reuniones desbordando felicidad, como si los comentarios recibidos hubiesen sido alentadores". Las obras se iniciaron el 12 de julio de 1954, lo que significaba que deberían concluir dentro de un año para cumplir con el plazo impuesto por Walt... Se habilitaron dos viejas casas de los ranchos como oficinas. Allí el personal se apropió de la cocina, comedores, e incluso armarios. La oficina de Walt estaba en un dormitorio. No había un solo baño en toda la obra»[176]. Walt continuamente supervisaba de modo personal los avances de la obra y dirigía esfuerzos encaminados a ultimar los detalles. El parque abrió sus puertas el 17 de julio de 1955, con 170,000 visitantes la primera semana y más de un millón de visitantes en los dos primeros meses.

La cadena ABC había comprado una participación de un 34.5 por ciento de Disneylandia por 500,000 dólares. Cinco años después de la apertura del parque, Disney volvió a comprar las acciones de ABC por 7.5 millones de dólares. Una vez más, Walt logró transformar su visión en toda una realidad, a pesar de las dudas y predicciones de fracaso a su alrededor.

El 2 de noviembre de 1966 se detectó un gran tumor en el pulmón de Disney. Los médicos le pronosticaron entre 6 y 12 meses de vida. Walt pasó sus últimos días en una cama de hospital, planeando cómo edificar el parque Disney World en Florida. Falleció 10 días después de cumplir 65 años, el 15 de diciembre de 1966.

Disney había pasado a mejor vida, pero nunca moriría su «capacidad de hacer feliz a la gente, llevar alegría a los niños, y causar risas y lágrimas en las personas»[177]. Personas de todo el mundo siguen siendo los beneficiarios directos de la visión de Walt Disney. Más de 500 millones de personas han visitado Disneylandia desde su apertura en 1955, y millones disfrutan de las películas de Disney cada año.

El nieto mayor de Walt, Chris Miller, ha dicho de Walt: «Mi abuelo tenía grandes sueños y metas, y perseveró hasta que los alcanzó... Su vida nos enseña a todos que debemos creer en nuestros sueños, ser audaces en la búsqueda de nuestras metas, y nunca renunciar a seguir adelante ante los desafíos. Walt Disney fue un aventurero de corazón, y la forma en que vivió es un ejemplo para todos nosotros»[178].

Walt Disney debería inspirarnos a todos nosotros a preguntarnos: «¿Cuáles son mis metas y sueños más grandes? ¿Qué logro alcanzaré que se convierta en mi *Blanca Nieves* y mi Disneylandia? ¿Qué puedo hacer para que este mundo sea un mejor lugar para vivir?».

Preguntas que le ayudarán a fijar sus metas:

> «Si quiere ser feliz, fíjese una meta que dirija sus pensamientos, libere su energía, e inspire sus esperanzas».
>
> –Andrew Carnegie

¿Qué objetivos quiero cumplir?

Hoy

Esta semana

Este mes

Este año

En los próximos 5 años

En los próximos 10 años

En los próximos 20 años

Antes de morir

Si me dijeran que solo me queda 1 año de vida, ¿qué me gustaría hacer?

¿Cuáles son los problemas de mi familia, comunidad, nación y del mundo que más me preocupan?

¿Qué libros debiera leer que me ayuden a renovar y crecer espiritual, social, intelectual y físicamente?

¿Qué me gustaría que se dijera de mi persona en mi funeral?

Escriba a continuación los 4 atributos que mejor describan a las 3 personas que usted más admira y respeta:

Persona 1. _____

    Atributo 1. _____ 2. _____

             3. _____ 4._____

Persona 2. _____

    Atributo 1. _____ 2. _____

             3. _____ 4._____

Persona 3. _____
    Atributo 1. _____   2. _____
           3. _____   4._____

¿Qué atributos me gustaría tener y exhibir? (Por ejemplo, ser caritativo, humilde, ahorrativo, responsable, trabajador, honesto, virtuoso, etc.)

¿Cómo me gustaría que los demás me describieran?

Describa su vida ideal. Describa detalles. ¿Qué haría yo? ¿Qué tendría?

¿Qué vacaciones me gustaría tomar con mi familia?

¿A quién me gustaría ayudar? ¿En qué tipo de causas me gustaría contribuir?

¿Qué nivel de ingresos me gustaría tener?
    1 año
    2 años
    5 años
    10 años
    20 años
    40 años

¿En dónde me gustaría vivir? Describa su casa ideal y sus alrededores.

Otras metas:

Capítulo XIII
VISUALIZACIÓN DEL HOMBRE MÁS RÁPIDO DEL MUNDO

«El hombre no necesita vivir en un estado sin
tensiones, sino luchar y esforzarse por alcanzar
una meta que valga la pena».

–Viktor E. Frankl,
autor de El hombre en busca de sentido

En 1974 se celebraron competencias de pista en Tennessee con la participación de algunos de los mejores atletas del momento. Debido a la fama de los competidores, todo el mundo tenía la esperanza de que se implantara un nuevo récord mundial en la carrera de los 100 metros. Uno de los corredores era Ivory Crockett. Antes de la carrera, las cámaras de televisión centraron su atención en Ivory Crockett mientras doblaba un pedazo de papel y lo pegaba en su zapato. La multitud comentaba al respecto. Todo el mundo se preguntaba por qué razón este atleta se había pegado un pedazo de papel en el zapato.

El juez de salida anunció: «¡Corredores, en sus marcas, listos, fuera!» y disparó el arma anunciando el inicio de la carrera. Ivory Crockett salió vertiginosamente, desplegando un comienzo y una carrera perfecta. Le tomó la delantera al resto de los corredores hasta llegar a la línea de meta en primer lugar. La carrera había sido tan rápida que todo el mundo estaba emocionado en espera de ver el tiempo registrado oficialmente. ¿Habría Ivory Crockett establecido un nuevo récord mundial? El tiempo oficial había sido de 9.0 —un nuevo récord mundial—. Ivory Crockett acababa de convertirse en el hombre más rápido de la historia en la carrera de 100 metros. La multitud enloqueció y la prensa corrió hacia Ivory, felicitándolo por su hazaña. Ahora era «el hombre más rápido del mundo». Pero una duda rondaba en la mente de la gente: «¿Qué decía el papel que se había pegado al zapato?». Ivory Crockett se sentó, se desató los zapatos de pista y retiró un pequeño pedazo de papel de uno de ellos. Lo desplegó ante la cámara. El mensaje era muy simple, solo decía: «9.0». Los Angeles Times describió el evento con el titular: «La inmortalidad en 9 segundos». Crockett dijo lo siguiente después de establecer el récord: «Fue una sensación extraordinaria poder hacer algo que nadie más había hecho antes y un honor estar a la altura de otros atletas como Bob Hayes (poseedor del récord mundial en 9.1 segundos durante 11 años) a quien yo he admirado y respetado toda mi vida».

Lea sus metas diariamente

Revise sus metas escritas todos los días. Para que se le facilite la tarea, coloque sus metas en lugares prominentes, como el espejo del baño, el refrigerador, la cabecera de su cama o en el tablero de su carro. En mi caso, una de mis metas es ser el número 1 en éxito de ventas de libros de no ficción. Para tener en mente esta meta periódicamente, corté una lista de los libros más vendidos y pegué mi libro en la parte superior de la lista. Tengo la lista, con mi libro en la parte superior, pegada en la pared, justo al lado del interruptor de la luz de la puerta de acceso a mi oficina; de ese modo, es inevitable verla cada vez que entro y salgo. Mantener sus metas como prioridades en sus pensamientos le ayudará en gran medida a aumentar las probabilidades de que se hagan realidad.

La visualización también puede ser de gran ayuda para alcanzar las metas. Por ejemplo, si nuestro objetivo es conseguir una buena calificación en un examen, lo que usted visualiza en relación con ese objetivo puede influir en su rendimiento. Muchos de nosotros visualizamos negativamente. Esta actitud nos lleva a pensar cosas como: «Se me va a olvidar esta información», o «Me irá mal en el examen». En lugar de hacer eso, visualicemos positivamente, diciendo: «Recordaré esta información», y «Me irá excelente en el examen».

La visualización puede afectar en gran medida el rendimiento, positiva o negativamente. Por ejemplo: «A principios de la década de 1950, se realizó un estudio sobre la eficacia de la visualización. Los investigadores tomaron a un grupo de 90 estudiantes universitarios sin ninguna experiencia en la práctica del baloncesto y los dividieron en tres grupos de 30 alumnos cada uno. A cada grupo se le pidió que lanzara tiros libres y se registraron los resultados. En el siguiente mes, los del primer grupo practicaban los tiros libres todos los días. Al segundo grupo se le instruyó que visualizaran la escena de estar efectuando los tiros libres diariamente, sin hacerlo de forma física en la realidad. El tercer grupo era el grupo de control y no se les dio instrucciones específicas en absoluto. Después de un mes, a los tres grupos se les puso a prueba una vez más. El primer grupo, como era de esperarse, había mejorado; promediando una mejoría del 20 por ciento en la precisión de los tiros. El tercer grupo, también como se esperaba, mostró poca o ninguna mejoría, con una efectividad de precisión en los tiros de solo 1 por ciento. La gran sorpresa fue el segundo grupo; sin práctica física y solo mental, mejoró su precisión de tiro en un 19 por ciento»[179].

Hace algunos años estaba en una escuela preparatoria enseñando el concepto de establecer metas y hablando de la visualización, cuando una de las chicas levantó la mano y comentó: «Usted habla de cómo funcionan las metas en los negocios, pero quiero saber si también funcionan para escoger pareja para el baile de graduación. ¿Es bueno para eso?».

Le respondí: «Si ese es tu objetivo, entonces anótalo». Y le pregunté: «¿Ya sabes con quién quieres ir?». Ella dijo: «Sí». Entonces le pregunté: «¿Puedes conseguir una foto de él?», y los que estaban en la clase se rieron. Ella respondió: «Sí».

Le dije que pusiera la foto en el espejo de su cuarto de baño y esperara a ver lo que sucedía. Luego, seguí con mi conferencia y no pensé más en ello hasta un mes más tarde, cuando recibí una carta en el correo que decía lo siguiente:

Sr. Taylor,
Muchas gracias por el seminario que impartió

en mi escuela el pasado mes de marzo. Realmente logró inspirarme de muchas maneras. Gracias. Seguí el consejo que me dio cuando le pregunté acerca de cómo lograr mi meta de encontrar pareja para ir al baile de graduación. En el espejo del baño puse una foto de Mike, el chico que quería que me invitara al baile, y a pesar de que ya antes me había dicho que no estaba pensando en ir, una semana después, tal y como usted lo dijo, llamaron a la puerta. Era Mike con una invitación para ir al baile. ¡Nos la pasamos de maravilla!

Gracias nuevamente,

Katie Rogerson,

«La chica del baile de

graduación»

«Una de las fuerzas más poderosas en el mundo es la voluntad de los hombres y mujeres que creen en sí mismos, que se atreven a tener esperanza y apuntar alto, y que van con gran confianza tras lo que quieren de la vida...»[180]. Hay un gran poder en las metas y los sueños.

Crear planes de acción para alcanzar sus metas

Durante una de las presentaciones que regularmente hago, sostengo un billete de 20 dólares en el aire y le pregunto a la audiencia: «¿Quién quiere este billete de 20 dólares?». La mayoría levanta las manos con cierta timidez. De nuevo les pregunto: «¿Quién quiere este billete de 20 dólares?». En respuesta, las manos se extienden un poco más altas, e incluso algunos se ponen de pie para hacerse notar. Enseguida vuelvo a hacer la pregunta y es entonces que alguien se decide y se me acerca para tomar el billete de mi mano. Entonces les hago la pregunta: «Todos querían el billete, ¿pero quién lo consiguió?». A lo que ellos responden: «El que se decidió a tomarlo». Eso mismo sucede con las metas. Usted puede escribir y visualizar todas las metas que quiera, pero si no actúa, sus objetivos nunca se harán realidad. Para alcanzar metas que nunca antes haya logrado, requerirá hacer tareas que nunca antes haya hecho.

Atributo 8:
La persistencia

«Cada adversidad, cada fracaso y cada angustia llevan consigo la semilla de un beneficio equivalente o mayor».

– Napoleón Hill

CAPÍTULO XIV
EL ÉXITO ES UN PROCESO

«Como la mayoría de los éxitos de la noche a la mañana,
me tomó veinte años de trabajo duro lograrlo».

-Sam Walton, fundador de Wal-Mart

Muchos tienen la idea equivocada de que aquellos que son grandes triunfadores es porque tienen suerte. Si se tomaran el tiempo de estudiar la vida de personas ricas y exitosas, descubrirían que la mayoría no alcanzan la riqueza por suerte o accidente. Uno de mis socios de negocios que gana más de 1 millón de dólares al año fue abordado por alguien que le dijo: «¡Qué suerte tiene usted!». Mi socio sonrió y respondió: «Lo sé, y cuanto más duro trabajo, más suerte tengo». Thomas Edison dijo: «Nunca hice nada por accidente, ninguno de mis inventos llegó por accidente; llegaron por trabajo». «Nadie logra nada sin tener que pagar el precio de trabajar duro, tener integridad, emoción, y pasar por años de esfuerzo y sacrificio.

Nada cae en su regazo por suerte»[181]. «No hay ningún secreto para el éxito: No pierda el tiempo buscándolo. El éxito es resultado de la perfección, el trabajo duro, aprender de los fracasos, tener lealtad a aquellos para los que se trabaja, y ser persistente»[182].

Los grandes triunfadores no nacen, se hacen. Si quiere ganar más dinero, tener mejores relaciones y tener un mayor impacto en su entorno, comience a trabajar duro. El éxito no es un proceso que ocurre de la noche a la mañana. Los niños siguen el proceso de aprender a gatear antes de caminar, y aprender a caminar antes de correr. Un pianista de concierto comienza a aprender a tocar, interpretando melodías como «Chopsticks» y «María tenía un corderito». Después de años de práctica y esfuerzo, desarrolla sus habilidades hasta el punto de poder interpretar la «Quinta Sinfonía» de Beethoven o los conciertos de Bach.

El éxito requiere tiempo. Nunca he aprendido un principio, he desarrollado una habilidad, he perdido peso o he ganado músculo en un instante. ¿Cómo podemos avanzar desde donde estamos hasta donde queremos llegar? Dando pasos. «Una casa se construye colocando un ladrillo a la vez. Los torneos de fútbol se ganan jugando partido a partido. Cada gran logro es una serie de pequeños logros»[183]. El éxito no sucede todo en un instante. Usted debe mejorar cada año. El conocimiento, las habilidades y la prosperidad se obtienen mediante el estudio y la práctica constante y decidida. No hay atajos para el verdadero éxito, solo aprenda a trabajar y sea persistente.

10,000 dólares al mes y el poder de un mentor

Estaba a punto de graduarme de la universidad, y me reuní con varios mentores para decidir lo que haría con mi futuro. Decliné ofertas de empleo que había recibido y lo mismo hice con una oferta para integrarme a uno de los mejores programas de Maestría en Administración de Negocios. Rechacé esas oportunidades con tal de iniciar mi propio negocio. Estaba decidido a construir una empresa multimillonaria y, al ver el éxito de mis mentores y escuchar sus historias, nació en mí la esperanza y confianza de asumir el riesgo. Comencé mis proyectos empresariales en 1999. Dos años más tarde, mi negocio había fracasado y me agobiaban las deudas por decenas de miles de dólares. Todo esto me tenía desanimado. Aunque sabía que era posible crear una empresa rentable, me asaltó la duda de si realmente algún día podría hacerlo. La meta de ingresos que me había propuesto alcanzar, que era de 10,000 dólares al mes, me parecía imposible de lograr. En este momento, uno de mis mentores que había desarrollado un negocio multimillonario, me contó esta historia:

> Mi padre se hizo millonario en el mundo de los negocios mucho antes que yo. Recuerdo cuando empecé mi primer negocio; tuve una experiencia adversa mayor en un viaje de negocios que realizaba por carretera. Mientras conducía a casa, me sentía realmente deprimido y desanimado. No entendía por qué mi empresa no estaba teniendo el éxito esperado. Sentía que estaba pagando un alto precio para

ser exitoso. Trabajaba duro y sin embargo tenía la impresión de que todo el mundo tenía más éxito que yo. Bastaba que abriera cualquier revista de negocios y de emprendedores para ver empresas triunfando por todas partes. Parecía que todos triunfaban, excepto yo.

Estando a un par de horas de llegar a mi ciudad natal, me detuve en una gasolinera para llenar el tanque de gasolina. En ese momento, ya llevaba dos horas lamentando mi suerte y llorando, ignorando por completo lo que sucedía a mi alrededor. Terminé de llenar el tanque, y me incliné para poner el tapón en su lugar nuevamente. De pronto miré hacia arriba, allí estaba mi padre, llenando también su tanque en una de las bombas enfrente de mí. Le dije: "Papá, ¿qué estás haciendo aquí?". Él respondió: "Acabo de salir del trabajo". Corrí y nos fundimos en un abrazo. Sin poder evitar que las lágrimas inundaran nuevamente mis ojos, allí estaba yo, con mi 1.91 de estatura y 90 kilos de peso llorando como un bebé en el hombro de mi padre.

Entre sollozos le dije a mi padre: "Papá, este negocio no me está resultando. Salgo todos los días y noches a trabajar. Estoy haciendo todo lo que puedo, pero aparentemente nada me resulta". Entonces él me dijo: "Hijo, ¿crees que soy exitoso como empresario?". Yo le respondí: "Pero si tú ya eres multimillonario, papá. No me queda duda que a ti te ha funcionado ser empresario, pero no puedo decir lo mismo en mi caso. Me cuesta trabajo creer que llegaré a ser exitoso con mi negocio". Mi padre respondió: "Así que crees que el éxito en los negocios funciona para mí, pero no en tu caso. Entonces, ¿qué te parece si trabajamos juntos? ¿Crees que tengamos éxito si ambos unimos nuestros esfuerzos?". Le contesté: "Sí, papá, estoy seguro de que resultará si trabajamos juntos".

Mi padre decidió conducir su carro delante del mío en dirección a casa esa noche y durante las siguientes dos horas del trayecto solo estuve concentrado en seguir la guía de las luces traseras de su vehículo. Sentía mi corazón rebosante de alegría al saber que tenía un padre y mentor que me guiaba con su ejemplo de vida. Seguí esas luces traseras todo el camino a casa esa noche y he seguido esas luces traseras todo el trayecto hasta llegar a lo que ahora soy, un multimillonario. Estoy muy agradecido de que mis mentores me hayan guiado con las luces del rumbo a seguir.

Mi mentor me dijo entonces que su padre tuvo que superar muchas adversidades cuando inició su negocio, pero que finalmente pudo triunfar. Enseguida, mencionó que él también tuvo que pasar por lo mismo cuando comenzó sus propios negocios y al final su recompensa fue el éxito. Así que si yo seguía siendo persistente, al final también triunfaría. Luego, me animó a no darme por vencido y me dijo que a menudo los fracasos anteceden al éxito. En abril de 2001 comencé un nuevo negocio y en el 2002 lo convertimos en un generador de ingresos de un millón de dólares. A los 26 años alcancé la meta de 10,000 dólares de ingresos mensuales que me había propuesto la primera vez, llevándome a casa 21,611 dólares ese mes.

No atribuya a la suerte el hecho de que las personas sean triunfadoras. Averigüe la forma en que hicieron su fortuna y simplemente trate de emularlas. La forma más rápida de descubrir el proceso para ser exitoso en cualquier campo (atletismo, música, finanzas, matrimonio) es encontrar a alguien que ya ha logrado ese éxito y aprender la manera en que lo logró. Hable con aquellas personas que ya son triunfadoras en las áreas en las que usted aspira al éxito y luego imítelas en su proceso. Si tuviera que caminar a través de un campo minado, ¿preferiría seguir a una persona que ya conoce el camino y sabe evitar los riesgos, o preferiría aprender por ensayo y error? Busque un mentor que lo guíe para hacer realidad sus sueños. Las personas exitosas son accesibles. Usted simplemente tiene que buscarlas. Forme el hábito de asesorarse de gente triunfadora que haya hecho lo que usted quiere hacer.

Cualquiera puede ser exitoso porque todo lo que se requiere se puede aprender. Lo único que se interpone entre lo que es y desea ser es el tiempo y el esfuerzo. Mahatma Gandhi dijo: «No pretendo ser otra cosa más que un hombre común con capacidades por debajo del promedio. No tengo ni la menor sombra de duda de que cualquier hombre o mujer puede lograr lo que he logrado, si él o ella antepone el mismo esfuerzo y cultiva la misma esperanza y fe».

Cristóbal Colón

El historiador italiano Benzoni relató la siguiente historia sobre Cristóbal Colón. Cristóbal Colón fue invitado a un banquete donde se le había asignado, como es natural, un puesto de honor. Uno de los invitados era un cortesano que se sentía muy celoso del grande descubridor. En cuanto tuvo ocasión, se dirigió hacia él y le preguntó de forma un tanto altiva: «Si usted no hubiera descubierto América, ¿acaso no hay otros hombres en España que habrían podido hacerlo?». Colón prefirió no responder directamente a aquel hombre. Le propuso un juego de ingenio. Se levantó, tomó un huevo de gallina e invitó a todos los presentes a que intentaran colocarlo de forma que se mantuviera en pie sobre uno de sus extremos. La ocurrencia tuvo bastante aceptación. Casi todos los presentes entraron en el reto de aquel juego y lo intentaron uno tras otro, pero pasaba el tiempo y ninguno lograba encontrar el modo de que aquel huevo conservara el

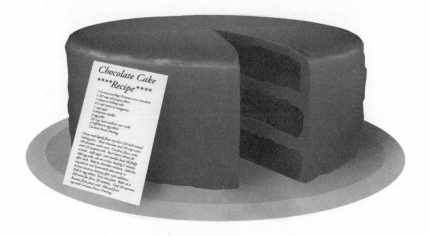

La metáfora del pastel de chocolate

«Si alguien elaborara el pastel más grande del mundo, ¿cree usted que podría igualarlo con la misma calidad? Por supuesto que sí, siempre y cuando usted tuviera la receta de esa persona. Una receta no es más que una estrategia, un plan específico de los recursos a utilizar y de la forma de utilizarlos para producir un resultado específico... Entonces, ¿qué es lo que usted necesita para producir la misma calidad que tiene un pastel elaborado por un experto? Solo utilizar la receta y seguir sus instrucciones al pie de la letra. Si lo hace de ese modo producirá los mismos resultados, a pesar de que nunca antes haya elaborado un pastel en su vida. La experiencia del panadero se adquiere a través de los años, trabajando por ensayo y error, antes de desarrollar la receta final. Usted se puede ahorrar años de trabajo con tan solo aprovechar la misma receta que tanto tiempo le costó al panadero... Si encuentra personas que ya gozan del éxito financiero o de relaciones satisfactorias, lo único que usted tiene que hacer es descubrir la estrategia que siguió esa gente y luego aplicarla en su propia vida para producir resultados similares y ahorrar enormes cantidades de tiempo y esfuerzo»[184].

Warren Buffett encuentra un mentor

Cuando intentaba conocer los secretos para invertir en el mercado de valores, Warren Buffett leyó un libro de Benjamín Graham titulado *El inversor inteligente*. En este libro, él encontró una filosofía de inversión y el sistema que podía aprender y aplicar. Warren buscó a Benjamín Graham para que fuera su mentor y comenzó a tomar las clases que el profesor Graham impartía en la Universidad de Columbia. Era tanta su sed de aprendizaje que se ofreció a trabajar para el profesor de forma gratuita. En 1954, Warren Buffett fue contratado por Benjamín Graham para que trabajara en su firma de inversiones de Nueva York, Graham-Newman, por 12,000 dólares al año. Dos años más tarde, Graham se retiró y cerró la empresa. En 1957, Warren comenzó su propia sociedad de inversión. Su negocio comenzó con siete miembros de su familia y algunos amigos que en conjunto invirtieron 105,000 dólares, y Warren Buffett solo invirtió 100 dólares de su propio dinero. Once años después, en 1968, su negocio de inversiones tenía un valor de 104 millones de dólares. Warren Buffett siguió aplicando sus estrategias de inversión y en el 2006 la revista Forbes estimó el patrimonio neto de Warren Buffett en 40 mil millones de dólares.

Capítulo XV
El poder de la persistencia

«La persistencia a pesar de los obstáculos, el
desaliento y las imposibilidades es lo que diferencia
un alma fuerte de una débil».

–Thomas Carlyle

He leído las biografías de decenas de grandes triunfadores. Al
estudiar sus vidas se descubre que no lograron su éxito gracias a la
suerte o por accidente, sino que es resultado de un arduo trabajo, gran
persistencia y el aprendizaje de sus fracasos. Una lección que todos
debemos aprender es la necesidad de persistir cuando las dificultades
nos abruman. Cuando experimentamos la derrota y el rechazo,
la cosa más fácil y lógica de hacer es renunciar a seguir luchando,
pero la persistencia es la que ayuda a los triunfadores a superar esas
adversidades.

Mark Victor Hansen y Jack Canfield

Antes de que Mark Victor Hansen y Jack Canfield se convirtieran en autores exitosos de ventas con su libro *Sopa de pollo para el alma*, que ya ha tenido ventas por más de 100 millones de copias, ambos autores fueron rechazados por 140 editores, al grado que su agente les dijo: «No puedo vender este libro —se los voy a tener que regresar muchachos—».

Los Hermanos Wright

Antes de que los hermanos Wright se convirtieran en los grandes inventores de la aviación moderna, fracasaron en miles de experimentos y aterrizajes. Orville Wright escribió: «Nuestros primeros experimentos fueron muy decepcionantes. La máquina... a veces parecía estar totalmente fuera de control»[185].

Stephen R. Covey

Stephen R. Covey, autor de *Los siete hábitos de la gente altamente efectiva*, creó una de las mayores empresas de desarrollo de liderazgo en el mundo. Antes de que la empresa tuviera un valor de 160 millones de dólares, soportó 11 años consecutivos de flujo de caja negativos. La empresa no tenía fondos en el banco, sus cuentas por pagar eran cuantiosas y sus líneas de crédito estaban en su tope máximo. Su «deuda a valor neto tangible» era de una relación de 223 a 1. En los siguientes dos años y medio, el valor de la empresa creció a un valor de 160 millones de dólares.[186]

Sam Walton

Antes de que Sam Walton fundara Wal-Mart y después de 5 años de trabajo duro, perdió su primera tienda, la tienda de descuentos Ben Franklin. Sam Walton escribió de esta experiencia: «Fue el momento más terrible de mi vida empresarial. Me sentía pésimamente. No podía creer lo que me estaba sucediendo. Realmente estaba viviendo una pesadilla. Después de tener la mejor tienda de descuentos de toda la región y haber trabajado duro en la comunidad —todo lo había hecho bien— ahora afrontaba la triste realidad de haberme quedado sin nada. No parecía justo... Siempre había visto los problemas como retos, y este no era diferente... El desafío inmediato era bastante simple de entender: tenía que levantarme y seguir adelante con mi vida, hacerlo todo de nuevo, solo que esta vez mucho mejor... Fue así como se me presentó la oportunidad de empezar nuevamente, aunque esta vez ya sabía lo que estaba haciendo»[187]. La siguiente tienda que abrió fue Wal-Mart.

Walt Disney

Walt Disney sufrió un revés devastador en 1928, un golpe tan duro que su carrera parecía a punto de derrumbarse. Acababa de perder su primera creación exitosa de dibujos animados, *Oswald el conejo afortunado*, a causa de haber cedido ingenuamente los derechos de propiedad del personaje. Disney no se dio por vencido, buscó resurgir de la debacle. Continuó trabajando, y su siguiente creación fue *Mickey Mouse*.[188] Walt Disney dijo: «Todas las adversidades que he tenido en mi vida, todos los problemas y obstáculos, me han fortalecido... Uno no se da cuenta de cuándo sucede, pero una patada en la boca puede ser la mejor cosa que nos puede suceder en un momento dado».

Sylvester Stallone

Antes de que Sylvester Stallone fuera un famoso actor y escritor, fue rechazado en más de 600 audiciones y fue incapaz de vender sus primeros 8 guiones. En 1975, Stallone presenció una pelea entre Muhammad Ali y Chuck Wepner en donde las apuestas ponían en desventaja a Wepner en una relación de 30 a 1. Inspirado por esta pelea, Stallone comenzó a desarrollar el guión de Rocky. El guión fue comprado por United Artists y la película fue exhibida en los cines el 21 de noviembre de 1976. Rocky recaudó 117 millones de dólares en ventas de taquilla en los Estados Unidos, y Stallone obtuvo una ganancia de más de 5 millones de dólares.

Cristóbal Colón

Antes de que Cristóbal Colón alcanzara el reconocimiento como uno de los más grandes exploradores, sufrió el rechazo de numerosas personas durante 20 años, hasta que finalmente la reina Isabel y el rey Fernando acordaron financiar su aventura. Colón escribió de su lucha: «Los que oyeron de mi proyecto aventurero me llamaron tonto, se burlaban de mí, y se reían»[189]. En la noche del 3 de agosto de 1492, Colón partió de España con tres naves, la Niña, la Pinta, y la Santa María. El 10 de octubre de 1492, 68 días después de haber zarpado de España, la tripulación de Colón comenzó a perder la esperanza de alguna vez llegar a su destino. Temerosos de morir en alta mar, sus oficiales y tripulación le exigieron dar vuelta y regresar a España. La tripulación amenazó a Colón de privarlo de la vida en caso de no acceder a su petición de regresar a España. Colón los instó a reconsiderar su postura y les propuso una solución al conflicto. Colón sugirió que de no hallar tierra en dos días más, regresarían de inmediato. Todos aceptaron la propuesta. El 11 de octubre divisaron aves de tierra y otras pistas que advertían la existencia de tierra en las proximidades. «Por fin, y siendo las 2 de la mañana del 12 de octubre, con la Pinta a la cabeza de las embarcaciones, a la luz de la luna y con el tiempo más despejado, el marinero Juan Rodríguez Bermejo divisó una playa de arena blanca y una gran extensión de tierra detrás de ella. Después de gritar: "¡Tierra! ¡Tierra a la vista!", la tripulación de la Pinta elevó una bandera en su mástil más alto y disparó un cañón»[190]. Colón había coronado su gran victoria porque tuvo el coraje de seguir adelante cuando todos los demás habían perdido la fe.

El coronel Sanders

Antes de que Kentucky Fried Chicken (KFC) se convirtiera en uno de los restaurantes más grandes del mundo, el proyecto del coronel Sanders fue rechazado más de 1,000 veces. En los años cincuenta, se empezó a construir una nueva carretera interestatal que evitaría el paso por el pueblo de Corbin, Kentucky, al rodearlo. El coronel se dio cuenta de que esta situación terminaría con su negocio, por lo que decidió venderlo. Al terminar de pagar sus cuentas con el dinero recibido, se quedó con 105 dólares mensuales en cheques de la seguridad social para su subsistencia.

Mientras administró su restaurante, el coronel había perfeccionado una receta y una técnica especial para cocinar pollo frito. Confiado en la calidad de su platillo, decidió comercializar su receta. Recorrió todos los Estados Unidos durmiendo en su carro y tratando de hallar un patrocinador. Cambió incesantemente su idea inicial y llamó a muchas puertas. Fue rechazado 1009 veces antes de que encontró a alguien dispuesto a comprar su receta[191] y el coronel se halló de nuevo en activo.

Después de su primer «sí», su idea de franquicias comenzó a tomar forma. Acordó con todos los compradores de su receta estipularle por escrito un pago de un centavo por cada pollo que el restaurante vendiera. En 1964, a los 74 años, el coronel Sanders tenía más de 600 puntos de venta concesionados que utilizaban su receta de pollo en los Estados Unidos y Canadá.

El coronel Sanders decía de sus inicios: «En aquellos días mezclaba a mano las hierbas y especias en mi porche trasero en Corbin, como si se tratara de cemento en un piso de concreto. Utilizaba una pala para hacer un túnel en la harina y luego las incorporaba cuidadosamente. Mi esposa, Claudia, era la que empacaba, mi supervisora del almacén y la encargada de hacer las entregas. Nuestro garaje era el almacén. Después de poner en marcha la venta de franquicias de mi negocio de pollo, mi esposa Claudia dejó atrás el llenado de pedidos y se encargaba de sazonar el producto. Ella preparaba los pedidos en pequeñas bolsas de papel con revestimientos de celofán y los empacaba para su envío. Después los trasladaba para su embarque y transportación posterior». En 1964, el coronel Sanders vendió su participación en la empresa en Estados Unidos por 2 millones de dólares, pero siguió siendo el portavoz público de la empresa. KFC ha seguido creciendo y sus ingresos suman miles de millones de dólares en ventas cada año y ofrecen sus servicios a millones de clientes diariamente a través de 13,000 restaurantes en 80 países.

Cameron C. Taylor

Antes de convertirme en autor de libros publicados, me esforzaba por escribir. Antes de cursar mi primer semestre en la universidad, me fijé la meta de convertirme en un autor con títulos publicados. Recuerdo que cuando me encargaron mi primer trabajo escrito me sentía muy emocionado por comenzar mi carrera de escritor. Me esforcé al máximo para que este trabajo quedara lo mejor posible; en ello invertí decenas de horas procurando que mis esfuerzos quedaran recompensados con una «A» de calificación. Un par de semanas después de entregados los trabajos, recuerdo que antes de comenzar su clase, mi profesor escribió en el pizarrón las calificaciones de la «A» a la «F» que se aplicarían para evaluar los trabajos de los alumnos. Mi confianza era absoluta de que obtendría la máxima calificación por mi trabajo. Mi seguridad se sustentaba en mi deseo de convertirme en un autor de libros y en lo mucho que me había esforzado para que mi trabajo fuera el mejor. Sin embargo, llegó el momento de recibir mi trabajo pero, para mi sorpresa, en la parte superior del documento no aparecía una calificación de «A», «B» o «C», ni siquiera una «D». Era una calificación de «F» acompañada de una nota que decía: «Este no es material colegiado. Usted necesita ayuda. Busque la asesoría de un tutor». Así fue el comienzo de mi carrera de escritor. La escritura era una de mis áreas más débiles cuando cursaba la preparatoria, pero yo estaba decidido a convertirla en una de mis mejores cualidades. Me dirigí al profesor y le pregunté si él podría mostrarme algunos de los trabajos de los estudiantes que habían recibido una «A» de calificación; esto con la finalidad de poder analizar la calidad del trabajo que habían realizado y aprender de ellos. Empecé a tomar clases de redacción y estilo, y me concentré en aprender de otros autores. Trabajé muy duro para mejorar y desarrollar mis habilidades en la escritura, y cuando ya cursaba mi último año de la universidad logré mi sueño de convertirme en un autor de libros publicados. Mi primer libro fue publicado por la universidad y utilizado en uno de los cursos de liderazgo que la institución impartía.

Conclusión

Abraham Lincoln dijo: «Siempre ten en mente que tu propia resolución de triunfar es más importante que cualquier otra cosa»[192]. En la vida no existen los fracasados, solo existen aquellos que se dan por vencidos antes de alcanzar el éxito. El fracaso es parte del aprendizaje. La fórmula del éxito se sustenta en intentarlo hasta conseguirlo. Renunciar antes de alcanzar la meta, le impedirá a usted experimentar la victoria.

Conclusión
Lecciones aprendidas del Ferrari rayado

Me ofrecí a colaborar voluntariamente como jefe de exploradores en la brigada de nuestra comunidad. Nuestra brigada estaba filmando una película para ganar la insignia del mérito en Cinematografía, y teníamos que filmar una de las escenas con un carro de lujo. Uno de mis vecinos tiene dos hermosos Ferraris, así que quedé con él para filmar la escena en su casa.

Mi hijo de cinco años me acompañó durante el rodaje, ya que también tenía una pequeña participación personificando a un elfo. Estábamos en la cochera de mi vecino y él me mostraba orgullosamente unas fotos de su «muro de la fama y la vergüenza (colisiones)» de sus experiencias con los varios vehículos que poseía. Mientras veíamos las imágenes, escuchamos un estruendo. Nos dimos la vuelta y vimos una silla encima del frente del Ferrari rojo. La silla se había estrellado contra el cofre del carro. Mi hijo había tirado accidentalmente una silla que estaba en una plataforma movible de trabajo y esta había caído sobre el cofre del vehículo.

Lección 1 – La raíz de nuestras acciones son nuestros atributos

C.S. Lewis dijo: «¿Será que lo que un hombre hace cuando está desprevenido es la mejor evidencia del tipo de hombre que es? ¿Será que lo que surge espontáneamente, antes de que el hombre tenga tiempo de ponerse un disfraz, es la verdad? Si hay ratas en un sótano es más probable verlas si entra muy de repente. Pero no es la sorpresa la que crea las ratas; solo les impide ocultarse. De la misma manera lo repentino de la provocación no me convierte en un hombre de mal carácter: solo demuestra el mal genio que tengo»[193].

El hecho de que una silla dañara el Ferrari de mi vecino definitivamente nos tomó de sorpresa a mi vecino y a mí, y sin duda ese incidente se podría clasificar como una provocación repentina. Mi hijo corrió y se escondió detrás de uno de nuestros amigos que estaba con nosotros, quien más tarde me comentó que el corazón de mi hijo latía aceleradamente ante la incertidumbre de no saber lo que sucedería a continuación. Yo estaba muy impresionado por la reacción de mi vecino. Él mantenía la calma y le dijo a mi hijo: «Para eso sirve la pintura; lo mandaré a reparar». A partir de mi interacción con este vecino, me formé la opinión de que se trataba de una persona maravillosa y amable. Haber visto su reacción inmediata de paciencia, cariño y preocupación por mi hijo, denotaba que él era un hombre que tenía los atributos de amor, cariño y paciencia en su esencia misma.

La clave para cambiar nuestra forma de actuar y vivir es cambiar los atributos que poseemos. A menudo la gente trata de corregir su comportamiento cuando el comportamiento no es el verdadero problema. En palabras de Henry David Thoreau: «Hay miles que golpean en las ramas del mal en vez de atacar la raíz»[194]. Nuestro comportamiento es consecuencia de los atributos que poseemos. Por lo tanto, si queremos hacer un cambio duradero y mejorar en la vida, tenemos que desarrollar los atributos que conducen al tipo de conducta y modo de vida que deseamos.

Lección 2 – Atributos que podemos desarrollar

Cuando llegamos a casa después de la filmación, le dije a Mitchell que a pesar de haber sido un accidente él era responsable del daño que había causado al Ferrari de nuestro vecino, y por lo tanto él tenía que destinar todo el dinero que había ganado durante los últimos meses para pagar la reparación del carro. A mi hijo no le gustó la idea y se puso a llorar, diciendo: «No quiero perder todo mi dinero. Voy a tener que empezar de nuevo». Le expliqué que cuando dañamos algo que no es nuestro tenemos la responsabilidad y el deber de pagar la reparación del daño. Él continuó llorando mientras le ordené que retirara todos los dólares y monedas de su bote de ahorros y los pusiera en un sobre para llevárselo a nuestro vecino. Me dirigí a la casa de mi vecino con el sobre que contenía el dinero de mi hijo y en su interior incluí un cheque que yo había dejado en blanco a su nombre para solventar los gastos de la reparación.

Mientras escribo esto, es inevitable acordarme de algunos episodios de la vida de Abraham Lincoln en el que la angustia era su fiel compañera ante el agobio de deudas y compromisos financieros por cumplir. Uno de estos episodios ocurrió en 1837, cuando Lincoln y un gran número de personas habían contraído una obligación financiera importante. Muchos de los deudores estaban en bancarrota a causa de la recesión económica de 1837 y ninguno de ellos contaba con solvencia para cumplir con sus obligaciones. Algunos trataron de liberarse de esta carga intentando enmiendas legislativas que eliminaran estas obligaciones, pero Lincoln se opuso a dicha acción diciendo: «Afrontemos de pie nuestras obligaciones como los hombres». Eran tiempos difíciles y de total insolvencia para liquidar adeudos, y en aquel tiempo la situación financiera de Abraham Lincoln fue descrita como una de las peores crisis económicas que tuvo en su vida. Incluso hubo momentos en los que no podía ni siquiera satisfacer sus más apremiantes necesidades. Se hicieron grandes sacrificios para poder pagar la deuda, pero finalmente después de 8 largos años la deuda se pagó en su totalidad. La liquidación de este adeudo quedó enmarcada como un suceso histórico y se exhibe en un banco de Springfield, donde está a la vista de todo el mundo. Es un monumento a la honestidad y responsabilidad de la comunidad durante esos tiempos difíciles.[195]

Es posible desarrollar cada atributo de los grandes triunfadores. Mi hijo tuvo que pagar los daños que causó accidentalmente en el Ferrari, y sin duda esta historia de Lincoln le ayudará a mi hijo a desarrollar el atributo de ser responsable para «afrontar de pie sus obligaciones como un hombre».

Para alcanzar los atributos de los grandes triunfadores se requiere algo más que simplemente saber y creer. Gandhi dijo una vez: «Por cada hombre honesto, hay 999 personas que creen en la honestidad». Para que el principio de la honestidad logre impactar realmente en su vida, tiene que ser algo más que un valor personal —debe ser parte de su propia esencia—. No basta con saber que la honestidad es una cualidad y un valor que se debe cultivar. Se tiene que ser una persona honesta. Hacerla parte de nosotros mismos —convertirla en uno de nuestros atributos—. Mi deseo para cada uno de ustedes es que puedan invertir su tiempo en el estudio y la práctica, y logren desarrollar y vivir los atributos de los grandes triunfadores.

Los 8 atributos de los grandes triunfadores

 Atributo 1: Ser responsable

 Atributo 2: Ser creativo

 Atributo 3: Ser independiente

 Atributo 4: Ser humilde

 Atributo 5: Ser honesto

 Atributo 6: Ser optimista

 Atributo 7: Ser visionario

 Atributo 8: Ser persistente

Espero que este libro haya sido de su agrado y de utilidad para usted. Me encantaría conocer su opinión. Por favor, dígame lo que le haya agradado de este material y la forma en que ha impactado en su vida.

Cameron C. Taylor

Cameron@CameronCTaylor.com

Acerca del autor

Cameron C. Taylor es un exitoso autor, prestigioso conferencista y empresario. Cameron es autor de los libros *Preserve, Protect, and Defend; Does Your Bag Have Holes? 24 Truths That Lead to Financial and Spiritual Freedo*m; *8 atributos de los grandes triunfadores;* y *Twelve Paradoxes of the Gospel.* Cameron se graduó con honores de la escuela de negocios y es fundador de varias empresas exitosas e instituciones de beneficencia. Es uno de los fundadores de The Glorious Cause of America Institute y miembro de la junta directiva. Cameron recibió el Premio Círculo de Honor por ser un «ejemplo excepcional de honor, integridad y compromiso». Actualmente vive en Idaho con su esposa e hijos. Cameron es también un talentoso maestro que ha sido invitado a impartir conferencias en cientos de eventos, obteniendo excelentes críticas en sus participaciones.

Los libros y conferencias de Cameron han sido comentados por Ken Blanchard, coautor de *El ejecutivo al minuto*; el Dr. Stephen R. Covey, autor de *Los siete hábitos de la gente altamente efectiva*; el multimillonario Jon Huntsman; Rich DeVos, propietario del equipo Orlando Magic; William Danko, Doctor en Filosofía y coautor de *El millonario de al lado*; y muchos otros.

Consideraciones finales – Notas bibliográficas

1 Michael y Jana Novak, *Washington's God* (Basic Books, 2006), 8.
2 Benjamin Franklin, *The Autobiography of Benjamin Franklin* (Philadelphia: Henry Altemus, 1895), 150-154
3 Jim Collin, *Good to Great* (New York: Harper Collins, 2001), 51.
4 Charles Hockema.
5 La historia desde el principio hasta el inicio de la conversación con el guardia de la prisión es lo que recuerdo de la experiencia que tuve al enseñar en una prisión. La conversación con el guardia de la prisión hasta el final de la historia está basada en dos historias reales de dos de mis mentores. Creí que los principios enseñados a través de estas historias se podían describir mejor en el contexto del entorno de una prisión. Por lo que la conversación con el guardia de la prisión hasta la conclusión de la historia es ficticia, pero basada en dos historias verídicas.
6 Viktor E. Frankl, *Man's Search for Meaning* (New York: Pocket Books, 1984), 178.
7 Viktor E. Frankl, *Man's Search for Meaning* (New York: Pocket Books, 1984), 178.
8 Stephen R. Covey, *The Seven Habits of Highly Effective People* (New York: Simon & Schuster, 1989), 69–70.
9 George G. Ritchie con Elizabeth Sherrill, *Return from Tomorrow* (Grand Rapids, MI: Fleming H. Revell, 1978), 115.
10 George G. Ritchie con Elizabeth Sherrill, *Return from Tomorrow* (Grand Rapids, MI: Fleming H. Revell, 1978), 115–116.
11 Steve Young, *Steve Young's Hall of Fame Send Off*, July 30, 2005.
12 Saundra Davis Westervelt, *Shifting the Blame* (New Brunswick, NJ: Rutgers University Press, 1998), 4, 7.
13 Thomas S. Monson, "In Search of an Abundant Life," *Tambuli*, Aug. 1988, p. 3.
14 Eknath Easwaran, *Gandhi the Man* (Nilgiri Press, 1997), 11.
15 Eknath Easwaran, *Gandhi the Man* (Nilgiri Press, 1997), 17.
16 Eknath Easwaran, *Gandhi the Man* (Nilgiri Press, 1997), 20.
17 Blaine Lee, *The Power Principle* (New York: Simon & Schuster, 1997), 170-171.
18 Lance H. K. Secretan, *Inspire! What Great Leaders Do* (Hoboken, NJ, Wiley, 2004), 67.
19 Lance H. K. Secretan, *Inspire! What Great Leaders Do* (Hoboken, NJ, Wiley, 2004), 67.
20 Anna Craft, Howard Gardner, Guy Claxton, *Creativity, Wisdom, and Trusteeship* (Thousand Oaks, CA: Corwin Press, 2007), 90.
21 Aldous Huxley.
22 Keshavan Nair, *A Higher Standard of Leadership* (San Francisco: Berrett-Koehler Publishers, Inc., 1997), 63.
23 Eknath Easwaran, *Gandhi the Man* (Nilgiri Press, 1997), 47.
24 Eknath Easwaran, *Gandhi the Man* (Nilgiri Press, 1997), 47.
25 Eknath Easwaran, *Gandhi the Man* (Nilgiri Press, 1997), 47.
26 Eknath Easwaran, *Gandhi the Man* (Nilgiri Press, 1997), 49, 56.
27 M.V. Vamath, *Gandhi, A Spiritual Journey* (Mumbai, India: Indus Source Books, 2007), 77.
28 Jafar Mahmud, *Mahatma Gandhi* (New Delhi: A.P.H. Publishing, 2004), 25.
29 Keshavan Nair, *A Higher Standard of Leadership* (San Francisco: Berrett-Koehler Publishers, Inc., 1997), 59.
30 Catherine Bush, *Gandhi* (New York: Chelsea House Publishers, 1985), 98.
31 Catherine Bush, *Gandhi* (New York: Chelsea House Publishers, 1985), 98.
32 Don Soderquist, *Live Learn Lead to Make a Difference* (Nashville, TN: J. Countryman, 2006), 9.

33 Stephen Budiansky, "10 Billion for Dinner, Please," *U.S. News & World Report,* 12 Septiembre 1994, p. 57–62.

34 Stephen Budiansky, "10 Billion for Dinner, Please," *U.S. News & World Report,* 12 Septiembre 1994, p. 57–62.

35 Stephen R. Covey, *Principle-Centered Leadership* (New York: Simon & Schuster, 1991), 159.

36 Toda la historia es ficticia, pero está basada en varias historias reales.

37 Hyrum Smith, *The 10 Natural Laws of Successful Time and Life Management* (New York: Warner Books, 1994), 201–202.

38 Harold C. Livesay, *American Made* (New York: Pearson Longman, 2007), 269.

39 Oficina de Análisis Económico, U.S. Departamento de Comercio, Estadísticas Económicas Regionales, Ingresos Personales Estatales, SQ1- Ingresos Personales.

40 Departamento de Transporte de los Estados Unidos, Administración Federal de Carreteras, Anexo 1.1 Estadísticas Nacionales: 1960–2000.

41 Nota Introductoria, Benjamin Franklin, *The Autobiography of Benjamin Franklin* (Dover Publications, Inc., 1996), iii.

42 Benjamin Franklin, *The Autobiography of Benjamin Franklin* (New York: The MacMillan Company, 1921), 11.

43 Walter Isaacson, *Benjamin Franklin* (New York: Simon & Schuster, 2003), 94.

44 Editado por E. Boyd Smith, Benjamin Franklin, *The Autobiography of Benjamin Franklin* (New York: Henry Holt and Company, 1916), 169-170.

45 Walter Isaacson, *Benjamin Franklin* (New York: Simon & Schuster, 2003), 100.

46 Editado por E. Boyd Smith, Benjamin Franklin, *The Autobiography of Benjamin Franklin* (New York: Henry Holt and Company, 1916), 113.

47 Editado por E. Boyd Smith, Benjamin Franklin, *The Autobiography of Benjamin Franklin* (New York: Henry Holt and Company, 1916), 119.

48 Walter Isaacson, *Benjamin Franklin* (New York: Simon & Schuster, 2003), 72.

49 Clark DeLeon, "Divvying up Ben: Let's Try for 200 More," *Philadelphia Inquirer,* February 7, 1993, page B02.

50 Benjamin Franklin, *Essays and Letters, Volume 1* (New York: R. & W.A. Barton & Co., 1821), 91.

51 Lynn G. Robbins, *Uncommon Cents* (Salt Lake City, UT: Leather Bound Books, 2004), 13.

52 Benjamin Franklin, *Essays and Letters, Volume 1* (New York: R. & W.A. Barton & Co., 1821), 92–94.

53 Walter Isaacson, *Benjamin Franklin* (New York: Simon & Schuster, 2003), 130.

54 Leon J. Cole, *The Delta of the St. Clair River* (Lansing, MI: Robert Smith Printing Company, 1903), 196.

55 Editado por E. Boyd Smith, Benjamin Franklin, *The Autobiography of Benjamin Franklin* (New York: Henry Holt and Company, 1916), 289-290.

56 Editado por E. Boyd Smith, Benjamin Franklin, *The Autobiography of Benjamin Franklin* (New York: Henry Holt and Company, 1916), 289-290.

57 Editado por Albert Henry Smyth; Benjamin Franklin, *The Writings of Benjamin Franklin, Volume II* (New York: The MacMillan Company, 1905), 325.

58 Editado por Albert Henry Smyth; Benjamin Franklin, *The Writings of Benjamin Franklin, Volume II* (New York: The MacMillan Company, 1905), 410.

59 Walter Isaacson, *Benjamin Franklin* (New York: Simon & Schuster, 2003), 137.

60 Benjamin Franklin, *Memoirs of the Life and Writings of Benjamin Franklin* (London: Printed for Henry Colburn, British and Foreign Public Library, 1818), 372.

61 Walter Isaacson, *Benjamin Franklin* (New York: Simon & Schuster, 2003), 143, 145.

62   Editado por E. Boyd Smith, Benjamin Franklin, *The Autobiography of Benjamin Franklin* (New York: Henry Holt and Company, 1916), 115.

63   Editado por E. Boyd Smith, Benjamin Franklin, *The Autobiography of Benjamin Franklin* (New York: Henry Holt and Company, 1916), 136.

64   *Universidad de Pensilvania, consultado el 24-9-2009 en el sitio web* http://www.upenn.edu/about/heritage.php.

65   Editado por Jared Sparks, *The Works of Benjamin Franklin, Volume 1* (Boston: Whittemore, Niles, and Hall, 1856), 569, 576.

66   Walter Isaacson, *Benjamin Franklin* (New York: Simon & Schuster, 2003), 147.

67   *Some Account of the Pennsylvania Hospital; From Its First Rise, to the Beginning of the Fifth Month, Called May, 1754,* (Philadelphia: Printed at the Office of the United States' Gazetter, 1817), 33.

68   *Universidad de Pensilvania, consultado el 24-9-2009 en el sitio web*: http://www.uphs.upenn.edu/paharc/timeline/1751/tline1.html.

69   Editado por E. Boyd Smith, Benjamin Franklin, *The Autobiography of Benjamin Franklin* (New York: Henry Holt and Company, 1916), 228.

70   *Universidad de Pensilvania, consultado el 24- 9-2009 en el sitio web* http://www.pennhealth.com/pahosp/about/.

71   *PBS, consultado el 24- 9-2009 en el sitio web* http://www.pbs.org/benfranklin/l3_citizen_founding.html.

72   Jared Sparks, *The Life of Benjamin Franklin* (Boston: Whittemore, Niles and Hall), 408.

73   *PBS*, consultado el 24-9-2009 en el sitio web http://www.pbs.org/benfranklin/l3_citizen_founding.html.

74   The Paris Peace Treaty (1783).

75   *PBS, consultado el 24- 9-2009 en el sitio web* http://www.pbs.org/benfranklin/l3_citizen_founding.html.

76   Editado por E. H. Scott; James Madison, *Journal of the Federal Convention* (Chicago: Scott, Foresman and Co., 1898), 741-743.

77   George Ticknor Curtis, *Constitutional History of the United States Volume I* (New York: Harper & Brothers, Franklin Square, 1889), 294.

78   *Independence Hall Association*, consultado el 26-9-2009 en el sitio web: http://www.ushistory.org/franklin/philadelphia/grave.htm.

79   Abraham Lincoln, *Life and Works of Abraham Lincoln, Volume V* (New York: The Current Literature Publishing Co., 1907), 67–68, 186.

80   Fred G. Gosman, *Spoiled Rotten* (New York: Villard, 1992), 32.

81   Thomas J. Stanley, William D. Danko, *The Millionaire Next Door* (New York: Simon & Schuster, 1996), 142–143.

82   Barbara Hagenbaugh, "More Than Half of Teens Forgo Summer Jobs," *USA Today*, July 9, 2007.

83   Roberta Rand, "When Adult Children Move Back Home," *Focus on the Family.*

84   Sheila J. Curran, "The Adult-Child Comes Home," *Duke University News*, July 21, 2006.

85   Elbert Hubbard, *Love, Life & Work* (The Roycrofters, 1906), 84.

86   "What was the Coast Guard's role in the world's first heavier than air flight, made by the Wright Brothers on 17 December 1903?" *United States Coast Guard.* Consultado el 8-12-2006 en el sitio web: http://www.uscg.mil/history/faqs/Wright_Brothers.html.

87   Fred C. Kelly, *The Wright Brothers* (Mineola, NY: Dover Publications, 1989), 8.

88   "The Unlikely Inventors," *Public Broadcasting Service (PBS)*. Consultado el 11-12-2006 en el sitio web: http://www.pbs.org/wgbh/nova/wright/inventors.html.

89   *Enciclopedia Académica Americana*, (Princeton, NJ: Arete Publishing Co., 1980), 212.

90 "Wright Brothers," *Wikipedia*. Consultado el 7-12-2006 en http://en.wikipedia.org/wiki/
    Wright_brothers.

91 Tom D. Crouch, *The Bishop's Boys* (New York: W. W. Norton & Company, 1989), 273–274.

92 Tom D. Crouch, *The Bishop's Boys* (New York: W. W. Norton & Company, 1989), 429.

93 Tom D. Crouch, *The Bishop's Boys* (New York: W. W. Norton & Company, 1989), 429.

94 Fred Howard, *Wilbur and Orville* (New York: Alfred A. Knopf, 1987), 16.

95 Judith A. Dempsey, *A Tale of Two Brothers* (Victoria, BC, Canada: Trafford Publishing, 2003), 26.

96 Tom D. Crouch, *The Bishop's Boys* (New York: W. W. Norton & Company, 1989), 12.

97 Louise Borden y Trish Marx, *Touching the Sky* (New York: Margaret K. McElderry Books, 2003).

98 Tom D. Crouch, *The Bishop's Boys* (New York: W. W. Norton & Company, 1989), 465–466.

99 Don Soderquist, *Live Learn Lead to Make a Difference* (Nashville, TN: J. Countryman, 2006),
    92–93.

100 Edwin A. Locke, *The Essence of Leadership* (New York: Lexington Book, 1991), 79.

101 Compilado por Rev. Frederick S. Sill, *A Year Book of Colonial Times* (New York: E.P. Dutton and
    Company, 1906), 15.

102 Thomas J. Stanley, William D. Danko, *The Millionaire Next Door* (New York: Simon & Schuster,
    1996), 48, 71.

103 Joseph Addison, *The Works of Joseph Addison, Volume III* (New York: Harper & Brothers
    Publishers, 1864), 42.

104 Burke Hedges, *Read & Grow Rich* (Tampa, FL: INTI Publishing, 2000), 3.

105 Socrates. *Wikiquote*. Consultado el 1-1-2007 en el sitio web: http://en.wikiquote.org/wiki/
    Socrates.

106 *Publishers Weekly*, September 18, 2006, p. 4.

107 Mark Twain. *Wikiquote*. Consultado el 1-1-2007 en el sitio web: http://en.wikiquote.org/wiki/
    Mark_Twain.

108 Robert Kiyosaki, *Rich Dad, Poor Dad* (Paradise Valley, AZ: TechPress, Inc., 1998), 152.

109 Alvin Toffler citado en Jarvis Finger, Neil Flanagan, *The Management Bible* (London: New
    Holland Publishers, 2006), xv.

110 B.J. Losing, *Signers of the Declaration of Independence* (New York: George F. Colledge & Brother,
    1848), 167.

111 Blaine Lee, *The Power Principle* (New York: Simon & Schuster, 1997), 132.

112 *Wal-Mart*, consultado el 1-08-2007 en el sitio web: http://www.walmartfacts.com/content/
    default.aspx?id=3.

113 En 1985, Sam Walton se convirtió en el hombre más rico de América con un patrimonio neto de
    2,8 mil millones de dólares (5,1 mil millones de dólares en el 2006). A su muerte en 1992, la
    fortuna de Sam se estimaba en 28 mil millones de dólares. Les dejó su propiedad de Wal-Mart
    a su esposa y cuatro hijos, cuyo valor neto combinado en el 2005 era aproximadamente 80 mil
    millones de dólares.

114 Vance H. Trimble, *Sam Walton* (New York: Dutton, 1990), 6–8.

115 Don Soderquist, *Live Learn Lead to Make a Difference* (Nashville, TN: J. Countryman, 2006),
    121.

116 Sam Walton, *Sam Walton* (New York: Doubleday, 1992), 234.

117 Bentonville, AK, *tiene una población de 11,257 según el censo de 1990.*

118 Michael Bergdahl, *What I Learned From Sam Walton* (New York: John Wiley & Sons, 2004), 114.

119 Daniel Gross, *Forbes Greatest Business Stories of All Times* (New York: John Wiley & Sons, 1996),
    274.

120 Michael Bergdahl, *What I Learned From Sam Walton* (New York: John Wiley & Sons, 2004), 132.

121 Don Soderquist, *Live Learn Lead to Make a Difference* (Nashville, TN: J. Countryman, 2006), 44–45.

122 Sam Walton, *Sam Walton* (New York: Doubleday, 1992), 81.

123 Sam Walton, *Sam Walton* (New York: Doubleday, 1992), 78-79.

124 Daniel Gross, *Forbes Greatest Business Stories of All Times* (New York: John Wiley & Sons, 1996), 283.

125 Daniel Gross, *Forbes Greatest Business Stories of All Times* (New York: John Wiley & Sons, 1996), 270.

126 John Breen, Mark Teeuwen, *Shinto in History* (Honolulu: University of Hawaii Press, 2000), 169.

127 Jay Van Andel, *An Enterprising Life* (New York: Harper Collins, 1998), 53–54.

128 Kevin Rollins, antiguo presidente/director ejecutivo de Dell.

129 Robert C. Gay, *Business with Integrity* (Provo, UT: Brigham Young University Press, 2005), 49.

130 W. Steve Albrecht, *Business with Integrity* (Provo, UT: Brigham Young University Press, 2005), 5–6.

131 Jon M. Huntsman, *Winners Never Cheat* (Upper Saddle River, NJ: Wharton School Publishing, 2005), 9–11.

132 Jon M. Huntsman, Sr., *Business with Integrity* (Provo, UT: Brigham Young University Press, 2005), 91–92.

133 Jon M. Huntsman, *Winners Never Cheat* (Upper Saddle River, NJ: Wharton School Publishing, 2005), 40–41.

134 Ned C. Hill, *Business with Integrity* (Provo, UT: Brigham Young University Press, 2005), 79–80.

135 Mission and Values, *Huntsman International, consultado el 18- 1-2007 en el sitio web* http://www.huntsman.com/index.cfm?PageID=831.

136 Jon M. Huntsman, *Winners Never Cheat* (Upper Saddle River, NJ: Wharton School Publishing, 2005), 9.

137 Shad Helmstetter, *What to Say When You Talk to Your Self* (New York: Pocket Books, 1986), 20.

138 Sterling W. Sill y Dan McCormick, *Lessons from Great Lives* (Aylesbury Publishing, 2007), 31.

139 Celia Sandys y Jonathan Littman, *We Shall Not Fail* (New York: Portfolio, 2003), 3.

140 Winston Churchill, *The Second World War, Volume I, The Gathering Storm* (New York: Houghton Mifflin Company, 1948), 601.

141 Steven F. Hayward, *Churchill on Leadership* (New York: Gramercy Books, 2004), 115.

142 Winston Churchill, *The Second World War, Volume II, Their Finest Hour* (New York: Houghton Mifflin Company, 1949), 24.

143 Celia Sandys y Jonathan Littman, *We Shall Not Fail* (New York: Portfolio, 2003), 174-175.

144 Celia Sandys y Jonathan Littman, *We Shall Not Fail* (New York: Portfolio, 2003), 151.

145 Celia Sandys y Jonathan Littman, *We Shall Not Fail* (New York: Portfolio, 2003), 249, 179-180.

146 Winston Churchill, *The Second World War, Volume III, The Grand Alliance* (New York: Houghton Mifflin Company, 1950), 332.

147 Celia Sandys y Jonathan Littman, *We Shall Not Fail* (New York: Portfolio, 2003), 173-174.

148 Winston Spencer Churchill, *Never Give In! The Best of Winston Churchill's Speeches* (New York, Hyperion, 2003), 389-390.

149 Hyrum W. Smith, *What Matters Most* (New York: Simon & Schuster, 2000), 33-37.

150 Dale Carnegie, *How to Win Friends and Influence People* (New York: Pocket Books, 1982), xiv.

151 Dale Carnegie, *How to Win Friends and Influence People* (New York: Pocket Books, 1982), 75-83.

152 Buddha.

153 Proverbios 18:13, Versión King James.

154 Napoleon Hill, *Napoleon Hill's Keys to Success* (New York: Plume, 1997), 154.

155 Napoleon Hill, *Napoleon Hill's Keys to Success* (New York: Plume, 1997), 155.

156 Blain Lee, *The Power Principle* (New York: Simon & Schuster, 1997), 132.

157 Jack Canfield y Mark Victor Hansen, *Chicken Soup for the Soul* (Deerfield Beach, FL: Health Communications 1993), 17-18.

158 Lou Tice, *Personal Coaching for Results* (Nashville: Nelson, 1997), 93.

159 Napoleon Hill, *Keys to Success* (New York: Penguin, 1994), 1.

160 Herb Miller, *Money Is Everything* (Nashville, TN: Discipleship Resources, 1994), 19.

161 Neal Gabler, *Walt Disney* (New York: Alfred A. Knopf, 2006), 71.

162 Marc Eliot, *Walt Disney* (Andre Deutsch Ltd, 1995), 23.

163 Bob Thomas, *Building a Company: Roy O. Disney and the Creation of an Entertainment Empire* (New York: Hyperion, 1998), 53.

164 Neal Gabler, *Walt Disney* (New York: Alfred A. Knopf, 2006), 213.

165 Pat Williams, Jim Denney, *How to Be Like Walt* (Deerfield Beach, FL: HCI, 2004), 110.

166 James Collins, Jerry I. Porras, *Built to Last* (New York: Harper Collins, 2002), 100-101.

167 Pat Williams, Jim Denney, *How to Be Like Walt* (Deerfield Beach, FL: HCI, 2004), 112.

168 Pat Williams, Jim Denney, *How to Be Like Walt* (Deerfield Beach, FL: HCI, 2004), 111.

169 James Collins, Jerry I. Porras, *Built to Last* (New York: Harper Collins, 2002), 100-101.

170 Pat Williams, Jim Denney, *How to Be Like Walt* (Deerfield Beach, FL: HCI, 2004), 116.

171 Pat Williams, Jim Denney, *How to Be Like Walt* (Deerfield Beach, FL: HCI, 2004), 120.

172 Consultado el 11-08-2009 en el sitio web: http://www.boxofficemojo.com/alltime/adjusted.htm.

173 Pat Williams, Jim Denney, *How to Be Like Walt* (Deerfield Beach, FL: HCI, 2004), 187.

174 Daniel Gross, *Forbes Greatest Business Stories of All Times* (New York: John Wiley & Sons, 1996), 137.

175 Neal Gabler, *Walt Disney* (New York: Alfred A. Knopf, 2006), 501.

176 Neal Gabler, *Walt Disney* (New York: Alfred A. Knopf, 2006), 524.

177 James Collins, Jerry I. Porras, *Built to Last* (New York: Harper Collins, 2002), 39.

178 Pat Williams, Jim Denney, *How to Be Like Walt* (Deerfield Beach, FL: HCI, 2004), 124.

179 Vishnu Karmaker y Thomas Whitney, *Mental Mechanics of Archery* (Littleton, CO: Center Vision, Inc., 2006), 7.

180 Rich DeVos, multimillonario, dueño de Orlando Magic.

181 Jon M. Huntsman, Sr., *Business with Integrity* (Provo, UT: Brigham Young University Press, 2005), 94.

182 Colin Powell.

183 David J. Schwartz, *The Magic of Thinking Big* (New York: Simon and Schuster, 1959), 204.

184 Anthony Robbins, *Unlimited Power* (New York: Fireside, 1997), 113–114.

185 Wilbur Wright, Orville Wright, Octave Chanute, y Marvin Wilks McFarland, *The Papers of Wilbur and Orville Wright: 1899-1905* (McGraw-Hill, 1953), 75.

186 Stephen M.R. Covey, *The Speed of Trust* (New York: Free Press, 2006), 109.

187 Sam Walton, *Sam Walton* (New York: Doubleday, 1992), 30-31.

188 Daniel Gross, *Forbes Greatest Business Stories of All Times* (New York: John Wiley & Sons, 1996), 123.

189 Jacob Wassermann, *Columbus, Don Quixote of the Seas* (Boston: Little, Brown and Co., 1930), 19–20.

190 William D. Phillips, Jr. y Carla Rahn Phillips, *The Worlds of Christopher Columbus* (New York: Cambridge University Press, 1992), 152–153.

191 Anthony Robbins, *Unlimited Power* (New York: Simon & Schuster, 1986), 14.

192 Abraham Lincoln, Charles W. Moores (Editor), *Lincoln Addresses and Letters* (New York: American Book Company, 1914.

193 C.S. Lewis, *Mere Christianity* (New York: Simon & Schuster, 1996), 166.

194 Henry David Thoreau, *Thoreau's Thoughts* (Boston: Houghton, Mifflin and Company, 1890), 11.

195 Alonzo Rothschild, *Honest Abe* (Boston and New York: Houghton Mifflin Company, 1917), 222-224.